Breaking Bad

³⁵ Br eaking

⁵⁶ Ba d

ORGANIZADO POR DAVID THOMSON

Br eaking
Ba d

35

56

LIVRO OFICIAL

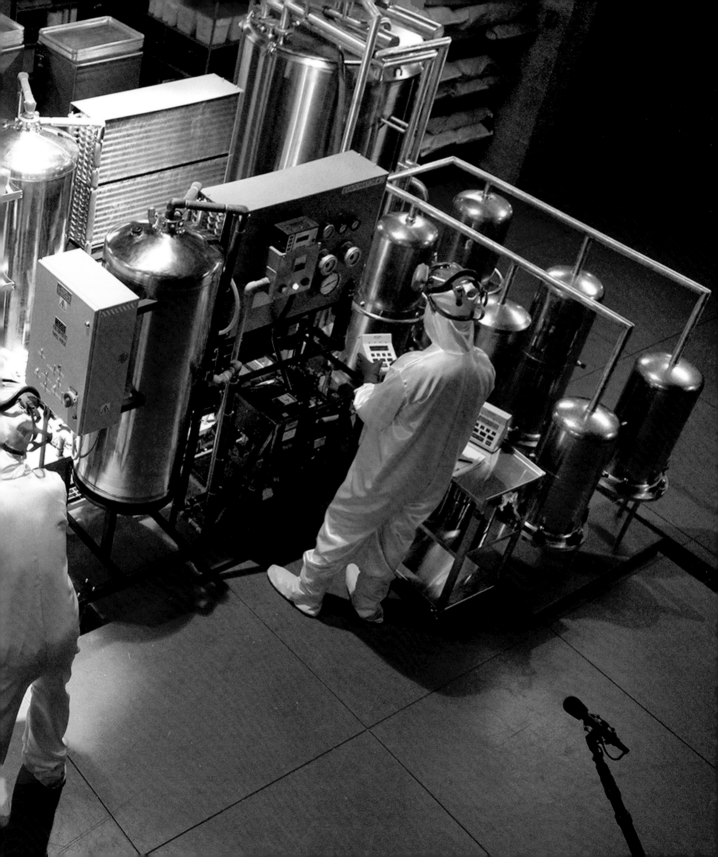

DADOS INTERNACIONAIS DE CATALOGAÇÃO NA PUBLICAÇÃO (CIP)
Angélica Ilacqua CRB-8/7057

Breaking Bad : o livro oficial / organizado por David Thomson ; tradução de Alexandre Matias e Mariana Moreira Matias. — Rio de Janeiro : DarkSide Books, 2017.
224 p. : il., color.

ISBN: 978-85-9454-059-1
Título original: Breaking Bad: The Official Book

1. Breaking Bad (programa de televisão) 2. Televisão — seriados I. Thomson, David II. Matias, Alexandre III. Matias, Mariana Moreira

17-1341   CDD 791.4572

Índices para catálogo sistemático:

1. Breaking Bad (programa de televisão)

Diretor Editorial
Christiano Menezes

Diretor Comercial
Chico de Assis

Gerente de Novos Negócios
Frederico Nicolay

Editor
Bruno Dorigatti

Tradução
Alexandre Matias e
Mariana Moreira Matias

Adaptação de Capa e Miolo
Retina 78

Designers Assistentes
Marco Luz
Pauline Qui

Revisão
Ana Kronemberger
Lielson Zeni
Nilsen Silva

Impressão e acabamento
Gráfica Ipsis

[2017]
Todos os direitos desta edição reservados à
DarkSide® *Entretenimento LTDA.*
Rua do Russel, 450/501 - 22210-010
Glória - Rio de Janeiro - RJ - Brasil
www.darksidebooks.com

SONY
PICTURES
TELEVISION

Quem vai cuidar de Holly?

Uma reavaliação de *Breaking Bad*

POR DAVID THOMSON

Uma

Uma surpresa ao rever *Breaking Bad* é perceber como ela é engraçada. Especialmente quando é sombria. Ao sorrir tanto, pode ser difícil manter uma contagem precisa dos corpos, e às vezes você está se divertindo a tal ponto que esquece como ela é hedionda e perturbadora. Mas essa felicidade passa.

Em suas primeiras temporadas, este magnífico filme estendido parece uma comédia de humor negro exuberante, mas macabra. No entanto, se você assistir a tudo agora, percebe a comédia virar cinzas. Quase todos que participam dela parecem ter algum transtorno da alma. Perto do final, Lydia descobre que está sendo envenenada — mas ela poderia ter adivinhado, se tivesse se olhado no espelho. *Breaking Bad* não faz muitas referências ao mundo exterior, muito menos à política ou ao ambientalismo. Você não sabe quem é o presidente — isso não tem importância. O programa não aborda a imigração diretamente. Mas você não pode deixar de perceber como os últimos seis anos viram o declínio norte-americano rumo ao desamparo. Sim, tudo está errado ou é perigoso, mas há alguma coisa que possa ser feita? E quem vai cuidar de Holly? Existe essa criança entre as ruínas.

À primeira vista, como vimos nos episódios semanais a partir de 2008, era natural ser atingido pela

Holly in the middle? A TV começou como a mídia da família. Sessenta e cinco anos depois, as histórias de famílias são constantes, mesmo se assistimos sozinhos em nossas telas particulares.

severidade da história de Walter White, e a maneira como a mortalidade iminente libera seus instintos criminosos. Desde o momento em que tudo começou, numa dramática viagem em um trailer Fleetwood Bounder pelo belo, mas agressivo, deserto do Novo México, com corpos rolando dentro do veículo e Walter de cueca, essa história nunca prometeu ser leve ou reconfortante. Mas a cueca era a pista: Walter pode estar morrendo, mas o que ele estava perdendo primeiro era a dignidade.

Afinal, Walter White está quebrado, preso ao fracasso de todos os dias, ridicularizado por alunos do ensino médio em suas aulas de química, e quase sempre brochando com sua jovem esposa, Skyler, a não ser quando fecha os olhos. Não que ele tenha tempo para sonhar acordado. Ele trabalha de madrugada em um lava-rápido para sustentar essa mulher e o filho adolescente deles, que tem uma leve paralisia cerebral. Além disso, Skyler está grávida novamente. Isso parece um presente fofo e inesperado, e ela está linda. Mas Walter está sob uma pressão terrível. E ele tem crises de tosse, a ponto de cair no meio da rua. Na ambulância a caminho do hospital, se agarrando à dignidade e à negação, ele pergunta se eles simplesmente vão largá-lo na esquina. Mas o médico viu os sinais de alerta; o túmulo acena, um buraco no chão reservado para Walter. A tosse é o estágio 3 do câncer pulmonar, inoperável. Assim como a vida, você sabe para onde está indo.

O que se pode fazer? Bem, Walter se apega ao inseguro e fracassado Jesse Pinkman — um aluno que ele reprovou em química — e assim torna-se o novo cozinheiro que Jesse precisa para o seu negócio amador e desqualificado de venda de metanfetamina. Walter já havia sido um cristalógrafo brilhante, e ele sabe como fazer um cristal com a força de um Picasso (em sua fase azul), o suficiente para impressionar qualquer traficante. Nos Estados Unidos da América, que sempre precisaram de grandes químicos, ele é um astro. Mas não pode contar nada à esposa.

Professor-aluno; pai-filho; o sábio e a área de desastre natural. Dois homens no deserto em um trailer.

Então, uma coisa leva a outra, e no final do episódio 1x03,[1] Walter teve de estrangular um inimigo com uma tranca de bicicleta, além de dar a descarga na polpa ácida de um segundo bandido. Assim como em *Psicose* (um filme que começa no estado vizinho do Arizona e que anteviu o tom cômico horrível de *Breaking Bad*), a operação de limpeza é algo que todo assassino tem de enfrentar. Você não pode simplesmente deixar os cadáveres apodrecendo no calor e contar com os coiotes e os urubus. Cedo ou tarde, aprende que o deserto é um lugar para buracos no chão com espaço para um corpo, ou dois. E se houver testemunhas, talvez elas precisem de um buraco também. Aquele solo vermelho-tijolo será trabalhado.

Isso não estabelece a repulsa enquanto assistimos a um pilar sofrido da comunidade no processo de se tornar um traficante cruel? Mas, então, como ou por que *Breaking Bad* é tão engraçada? O programa é doentio ou nós que somos? Ou será que houve um propósito maior nesse épico horrível exibido pela televisão, algo além do que esperavam que percebêssemos?

A natureza desta comédia pode ser vista e ouvida de algumas maneiras. Para pegar apenas um episódio,

o 1x04, está lá no jeito como o cunhado Hank alerta seus colegas policiais do DEA [Drug Enforcement Administration, órgão federal norte-americano encarregado da repressão e controle das drogas] que um mestre do crime chegou ao seu território. Suas palavras de advertência, "um novo chefão do tráfico", são levadas até a barriguinha de Walter enquanto nós o vemos escovar os dentes. Não é para gargalhar, mas também não é só um corte com ironia fofinha. É um sinal de que neste *Les Misérables* de Albuquerque, de policiais e criminosos, o arrogante, cheio de clichês e idiota sorridente Hank vai levar anos para perceber que o Heisenberg que ele persegue é o dócil, antiquado e humilde Walter, um homem que admite cortejar Skyler em sessões compartilhadas de palavras cruzadas do *New York Times*. Então Hank não é um policial esperto, e Walter nunca vai ser um criminoso nato. Ninguém é perfeito!

A comédia está enraizada nesta trama de mal-entendidos e agentes mal escolhidos. É mais melancólico que engraçado que um professor do ensino médio vá se tornar um chefe do tráfico, mas isso diz muito sobre a economia norte-americana, perversa e caindo aos pedaços. Não se esqueça que *Breaking Bad* foi ao ar em 2008, no auge de nosso acidente econômico — ou

---

1 Primeira temporada, episódio 03, sigla usada para abreviar a menção aos episódios neste livro. [Nota do Editor brasileiro]

melhor, "acidente". Começou em janeiro daquele ano, e o ralo da crise se abriu apenas nove meses depois. O TARP [Troubled Asset Relief Program, pacote de ajuda econômica do governo norte-americano aos bancos], foi transformado em lei em outubro de 2008. Nada disso era engraçado — a não ser que você estivesse preparado para encarar isso como uma punição tardia para a ganância, arrogância, criminalidade organizada, mas tácita, azar natural e uma afronta à dignidade.

Nesse mesmo episódio, o 1x04, Walter dá seu primeiro cutucão gratuito, mas vingativo, no sistema. Um empresário atarracado e falastrão faz ligações no volume máximo e estaciona seu conversível bacana na vaga em que Walter pretendia parar. "KEN WINS" ["KEN GANHA"], está escrito na placa do carro, num contexto socioeconômico em que a maioria dos norte-americanos estava perdendo. Então Walter sabota o carro do cara e dá seu primeiro grande sorriso enquanto o vê pegar fogo. E nós estamos com ele nesta pequena vitória, e sorrindo junto porque em *Breaking Bad* há sempre um desejo de revidar contra um sistema injusto. Essa não é simplesmente a história de um homem tímido, cumpridor da lei, que está se tornando um criminoso, mas mais um estudo sobre um norte-americano tentando descobrir e libertar seu verdadeiro eu. Na sequência hilariante do "travesseiro falante" no episódio 1x05, em que toda a família tem algo a dizer, Walter expressa sua necessidade de independência e até mesmo de solidão. Isso prenuncia um abismo tragicômico entre ele e Skyler, a doce mulher que acreditou que tudo pode ser falado e administrado para o melhor. Walter White é um norte-americano que sabe que o melhor nunca esteve nas cartas — nem mesmo antes de seu câncer e de suas aventuras com a metanfetamina.

Essa primeira temporada começa e termina em um caos completo. O arco vai da engraçada, mas desastrosa, operação de estreia de Walter e Jesse ao próprio confronto tenso desta nova equipe com Tuco Salamanca em um ferro-velho. O efeito da metanfetamina é um soco no estômago: o primário e aterrorizante Tuco cambaleia e geme após cada cheirada, e logo ele está surrando um

sócio até a morte com uma energia imprevisível que revela algum instinto bruto que essas pessoas deveriam manter do outro lado da fronteira. Mas a simples troca de duas sacolas plásticas — um imenso "Uau!" por rolos de dinheiro — é o imperativo prioritário na fronteira. Um bom químico sempre vai chegar à frente, mesmo que seja apenas dois anos antes de sua própria morte. Mas até isso está à beira de uma piada macabra. Walter está se cagando de medo. Ele sabe que isso tudo está errado e não é um mundo para se trazer uma menininha. No entanto, ele está animado; bate em seu próprio volante em um êxtase terrível; finalmente, ele está saindo do estilo de vida monótono que havia criado para si mesmo. Isso não é apenas o Novo México — é uma nova América, e tão assustadora que você tem que rir.

Quando Walter e Skyler vão à festa de aniversário (1x05) de Elliott Schwartz, *Breaking Bad* passa de uma narrativa de crime e filme *noir* na luz solar irradiante para um romance sobre sociedade, história e boas maneiras. Era uma vez os estudantes de graduação Walter e Elliott, e foram as ideias de Walter que fizeram da sua empresa recém-nascida, Gray Matter, um sucesso. Você pode pensar neles como Steve Jobs e Stephen Wozniak antes da aurora dos tempos modernos. Elliott não é um monstro nem um ingrato. Ele entende o presente de aniversário que envergonha Walter — um pacote de Miojo, como o que eles comiam quando eram jovens. Ele quer ajudar seu velho amigo com um novo emprego e um seguro de saúde melhor.

Mas Walter recusa, e isso leva à pergunta de por que ele é um fracassado e o que nós devemos pensar sobre isso, sabendo que a maioria de nós assistindo à TV norte-americana (mesmo os que têm TV a cabo) somos fracassados em nossos corações e no sistema econômico. Nós somos os escravos na terra da liberdade que sustentam o 1% que deu certo. Isso é o que acontece quando você constrói uma sociedade em cima do desejo e da publicidade, do medo e da aversão, e de um sistema bancário não regulamentado. Então, será que Walter escolheu tomar o caminho que o levou à química do ensino médio? Se ele é realmente brilhante, por que não tem, pelo menos, uma cátedra em uma grande universidade? Se o desejo de assassinar se esconde em seu coração, ele precisa matar seu próprio medo de se comprometer?

Walter tem cinquenta anos quando a história começa, e é fácil enxergar os cinquenta como a fronteira entre a esperança e o desespero. Mas seu filho, Walt Jr., de muletas e dicção lenta, é um adolescente muito astuto de quinze anos. Então Skyler deve ter se casado com Walter quando ela tinha seus vinte e poucos anos. Você pode imaginar Skyler, e Anna Gunn, nessa idade? Hoje ela é uma das mulheres mais atraentes da televisão, mas estamos imaginando Skyler com vinte e tantos anos, tão atraente que poderia ter feito os homens enlouquecerem do mesmo jeito que Tuco reage à nova metanfetamina. Lembre-se também daquela cena encantadora — lírica, iluminada pelo sol e cheia de graça — em que o jovem Walt está falando sobre a tabela periódica para uma bela e adorável jovem. Quando vi aquela cena pela primeira vez, eu tinha certeza de que era Skyler — mas, na verdade, e na memória da série, era a Gretchen! Isso poderia contar como uma ponta solta.

Essa foi uma união romântica inebriante, mas que se parte em direções opostas. A carreira de Walter não floresceu, e Skyler não consegue escrever contos. Não admira que ele precise de um segundo emprego para sobreviver. Eles tiveram um filho que nasceu com paralisia. Ele é um garoto atraente — irônico, corajoso, engraçado e amável, um dos adolescentes mais reais e simpáticos da televisão. Mas pense no golpe em seus sonhos, e nos custos de criar esse menino. E o custo de vida é uma tensão constante em *Breaking Bad*, assim como o dinheiro — notas de papel — significa mais do que as flores no deserto ou as árvores nas avenidas de Albuquerque. O emprego de professor de Walter rende a ele 43.700 dólares por ano, e ele calculou que para

pagar suas dívidas, educar seus filhos e manter Skyler com seus cremes, produtos de limpeza de rosto, e seu exuberante guarda-roupa à moda antiga, ele precisa de 737 mil dólares. Este programa é tão bom com seus números que James M. Cain poderia tê-lo escrito.

Skyler é uma conquista para um fracassado de meia-idade. Em muitos estudos sociológicos da nossa América propensa a acidentes, os White teriam se separado. Mas, longe de se divorciar, eles são uma sólida unidade familiar. Desde o início, houve cenas na mesa de jantar da família, e mesmo que Walt Jr. pudesse ser difícil, isso não é comum nas famílias da televisão? Aquele menino ama os pais, e eles cuidam uns dos outros. Você pode dizer que Anna Gunn (com seu valorizado decote) era como um objeto decorativo perspicaz para uma série deprimente, um pouco de ânimo e alívio. Mas isso deixa de lado a verdadeira ambição de *Breaking Bad*. O programa assume total responsabilidade por Skyler — sua aparência, sua satisfação, sua esperança sem pudor e sua sensação um pouco boba, mas plausível, de que deveríamos discutir todos juntos nossos problemas, lavar a roupa suja. Ela é um espírito (nomeadamente mais profundo do que a irmã), mesmo que a sua alma seja arruinada. Além disso, Skyler está grávida novamente, e exuberante. Ela carrega uma nova vida e a promessa para uma América que tenta acreditar nessas coisas.

A série diz que a gravidez foi uma surpresa. Mas na maioria dos aspectos, é quase "sensata". Antes de seu diagnóstico, Walter parece ter tido uma queda em sua energia sexual. Assim, o bebê que está a caminho tem que ser providencial, e uma decisão deliberada do programa. Não há necessidade de elevá-la a um nível bíblico, mas a gravidez é uma medida de afeto e esperança no casamento. E um gesto para o futuro. Imagine se Walt tivesse se casado com Marie, a irmã de Skyler, que é difícil e desagradável (a irmã a chama de cadela mimada cleptomaníaca). Essa união pareceria um caminho certo para o divórcio e um desvio do idealismo romântico dos White (e Hank e Marie não têm filhos). Quando Walter entra no

negócio de metanfetamina, sua libido volta. Tem aquele momento tocante em uma reunião de escola, quando ele começa a apalpar Skyler debaixo da mesa, e a surpresa divertida dela os leva a transar no carro com a turbulenta urgência dos adolescentes.

Enfatizo isso porque o personagem de Skyler tornou-se uma questão controversa quando os espectadores reagiram ao programa. Houve até mesmo campanhas na internet promovendo o ódio e reivindicando ações punitivas contra Anna Gunn. Essa é uma amostra de como essa série desafiadora chegou perto da violência e morbidez internas dos Estados Unidos e de como foi compulsiva a liberação da natureza criminosa para alguns espectadores. Não é preciso dizer que na nova idade de ouro da televisão as melhores e mais provocantes séries vão contar coisas desagradáveis sobre nós mesmos. Assim como *Família Soprano* e *O Poderoso Chefão* antes dela (estes novos clássicos da TV são influenciados pelos filmes de Coppola do início dos anos 1970), essa é uma história sobre o desejo de plenitude familiar colocado

contra os violentos desvios da moralidade convencional, em que as próprias vidas das famílias podem ser ameaçadas (e, às vezes, por outros membros da família).

É claro que a família White aumentou naquela primeira temporada. Não eram apenas Walt e Skyler com Junior, Hank e Marie. Junto veio Jesse Pinkman ("pink" é a cor rosa em inglês, que não entra na mistura que cria a massa cinzenta — "gray matter" —, mas rosa é a cor do urso de pelúcia caolho que caiu na terra, ou na piscina). Bem no início, Jesse é um desajustado infeliz. Aaron Paul, o ator que faz esse papel, disse que parecia que estava em um relacionamento improvável com Walter, e essa é uma observação útil. Porque enquanto Walter é o feiticeiro químico e a força motriz da parceria, Jesse (em teoria) é o homem da ação, que vende metanfetamina e pode ou não ter contatos úteis com o submundo. Mas ele sabe realmente como chegar a essa oferta de dinheiro subterrâneo? Walter o repreende por deixar o trailer tão desarrumado, e deixa claro que o laboratório é o seu território. Ele tem desprezo por Jesse: descobrimos que Walter escreveu em uma prova de ensino médio de Jesse: "Ridículo! Se dedique mais".

Mas nós só ficamos sabendo disso porque Jesse guardou essa prova. Ele vai pra "casa", onde seus pais acreditam que ele é um fracassado e um mentiroso, e encontra o seu histórico de um passado sombrio. Isso inclui esse teste e alguns desenhos que ele fez — um é do sr. White como uma figura de autoridade idiota. Em instantes, Jesse passa de um desastre natural ridículo, que provavelmente vai arruinar os planos de Walter,

"Olha em que confusão você me meteu desta vez!" Em meio a todos os desastres, *Breaking Bad* tem uma veia recorrente de comédia do absurdo.

para uma alma que sofre por causa de seu fracasso pessoal. Na verdade, ele sofre por ter um irmão mais novo nerd e brilhante — exatamente o que seus pais querem e usam para rebaixar Jesse. Quando eles encontram um baseado incriminador e presumem que pertence a Jesse, ele assume a responsabilidade e recebe a surra em lugar do irmão menor, que pode se tornar um outro Ken Wins.

Aqui, novamente, você tem o pulso cômico do programa, ainda que entregue de modo a empurrar Jesse ainda mais para o desânimo. Vince Gilligan disse que ele tinha pensado em matar Jesse no final da primeira temporada. Mas quando viu como Paul era bom, ele quis manter o personagem. Isso mostra como a curva de aprendizado ao fazer o programa pode ser importante. Jesse enriquece nossa percepção de Walter. De sua maneira desordenada, Jesse se apaixona, sofre uma perda angustiante, com repercussões complexas, e sai da

reabilitação como uma pessoa mais fria, mais vulnerável. Ele realmente é um homem, digno da companhia de Walter. Eu acho que ninguém na série muda tanto e, no final, Jesse oferece a Walter uma chance de redenção.

Então Jesse se torna um outro filho para Walt, como um Gordo para o seu Magro — ou é o contrário? Eles vão passar por perigos hediondos; se tornarão criminosos e assassinos. Mas eles ainda são como uma dupla de comediantes, e Jesse anseia por identidade pessoal e sucesso tão ardentemente quanto Walter. Sucede que ao longo dos anos houve tanta química entre Paul e Cranston como houve entre Cranston e Gunn.

Por sua vez, isso apenas aponta para a genialidade em escalar Cranston. Ninguém diria que ele é implausível como a figura criminosa: enquanto Walt perde o cabelo e vários quilos, e enquanto ele se familiariza com a ferocidade letal e a necessidade de sobreviver, Cranston se torna um espectro assustador — se nós não tivéssemos aprendido a amá-lo antes, e a perdoá-lo só porque ele é tão problemático como nós. Ele é, na realidade, mais cativante do que James Gandolfini como Tony Soprano e Al Pacino como Michael Corleone. Isso se deve um pouco a termos conhecido Cranston como o pai inepto, desonesto e dominado pela mulher, em 151 episódios de *Malcolm in the Middle* (2000-2006). Mas também é o fruto da experiência de Cranston como comediante. Os comediantes são treinados para minimizar a sua vaidade ou autoestima; eles não acreditam em si mesmos como o centro das atenções; eles são menos respeitados. Eles sabem que a vida é mais um caos tremendo do que um melodrama glorioso. Bem no final da parte 2 de *O Poderoso Chefão*, Michael se encontra no pessimismo e no esplendor. Ele se tornou um monstro, mas o estilo e o tom do filme não podem suportar uma crítica a ele, enquanto Walter é sempre considerado como uma vítima infeliz da sorte e do azar. E de ter muito o que fazer.

Walter White poderia ser mais duro e cruel. Pense em Sean Penn ou John Malkovich nesse papel: essa escalação poderia ter sido brilhante e assustadora, mas poderia não ter levado o programa para além de sua primeira temporada. Pode parecer ter sido escrita por Jim Thompson ou James Ellroy, no entanto, a verdadeira natureza de *Breaking Bad* é que ela tem a resignação agridoce de Tchékhov em seu sangue. Este é tio Vanya como um sociopata do Sul dos Estados Unidos.

Walt permanece apenas porque Cranston sabe como demonstrar a afeição do homem por Skyler e Walt Jr., e porque seu rosto oprimido compreende a triste comédia humilhante ao ser pego em um meio insustentável. Walt quer mais do que tudo se libertar da questão inglória de encarar um dia impossível após o outro (é tão absurdo como dirigir um programa de TV). Sua sentença de morte lhe empurra de volta à vida. Mas ela lhe força a um segredo sombrio e ao isolamento, e ele para de compartir com Skyler e Walt Jr., as mesmas pessoas por quem se tornou um criminoso. Ele pode fugir da rotina monótona de dar aulas no ensino médio só para ter o lastimável Jesse como seu projeto de estudo independente. Conforme a abertura nos conta, Walter vive pela espinha dorsal da tabela periódica, mas ele ouve o insulto e a lamentação de um solo de guitarra.

Deixa eu contar pra você: essa viagem absurda para um pesadelo foi um sucesso. Nem todo sucesso comum de televisão merece um livro como este, que, você vai perceber, é uma celebração. Mas *Breaking Bad* é muito boa, e a natureza dos programas de televisão é muito interessante para que deixemos de examinar seu sucesso.

Se eu te pedisse para estimar os números que fazem um sucesso de televisão, o que você diria? Você sabe que os Estados Unidos agora têm uma população de mais de 300 milhões de pessoas. Se pensarmos em um filme que fatura 300 milhões de dólares na bilheteria doméstica, e se nós considerarmos 10 dólares por ingresso, isso significa que cerca de 30 milhões de pessoas viram o filme. Estes números são muito aproximados, e poucos filmes faturam mais de 300 milhões de dólares. *Garota Exemplar* — que gostaria de ser visto como um mistério inteligente e cheio de suspense — arrecadou cerca de 136 milhões de dólares cinco semanas após seu lançamento em 3 de outubro de 2014. Isso são 13 milhões de espectadores, mais ou menos. Então, quantas pessoas assistiram ao episódio piloto de *Breaking Bad* na rede de televisão a cabo AMC, em 20 de janeiro de 2008, e ao sétimo (o final da primeira temporada) em 9 de março de 2008? Até onde sabemos, foi o mesmo número para ambos: 1,45 milhão de espectadores, ou 0,5% da nação.

AMC originalmente significava American Movie Classics. Quando o canal a cabo foi lançado, em 1984, a programação se concentrava em filmes antigos exibidos sem intervalos comerciais. O canal era financiado como parte de pacotes de TV a cabo e recebia uma taxa de transporte. Essa política foi alterada quando a audiência de filmes antigos diminuiu. O canal Turner Classic Movies (TCM) estava vencendo essa disputa, e ainda opera sem comerciais. Em 1998, a AMC começou a transmitir comerciais, e com o passar do tempo passou a desenvolver programas de televisão para competir com a HBO, Showtime, e vários outros canais. Esta nova AMC apresentou *Mad Men* (a partir de 2007) e *Breaking Bad*. Mas ambos os programas foram ao ar com comerciais. Ao assistir aos DVDs de *Breaking Bad*, é libertador ver as telas pretas em que os intervalos comerciais começavam porque elas dão à série uma estrutura mensurável, mas sem a chatice das propagandas. (Idealmente aqueles comerciais deveriam ter sido de lava-rápidos, serviços de manutenção de piscinas, salões de bronzeamento, lojas de fast-food, imóveis no Novo México, e vários medicamentos que podem dar um impulso à sua existência de meia-idade.)

Breaking Bad não se vendeu com facilidade: o câncer é uma palavra e uma experiência que não aparecem muito frequentemente na televisão, e o criador da série, Vince Gilligan, estava determinado a usar esse quase tabu ao mostrar como um professor e chefe de família pode se tornar um criminoso. A ideia de Gilligan era mostrar como *Adeus, Mr. Chips* (um filme clássico de 1939 sobre um professor bonzinho) poderia virar

Scarface (Al Pacino no remake de 1983). Isso estava acertado na cabeça de Gilligan desde o início, mas nos programas de televisão — e na criação e produção de uma série que pode durar várias temporadas — as ideias acabam mudando. Walter White é alguém que passa por uma mudança extraordinária. No entanto, ele tinha um prazo cruel, com a expectativa de viver por apenas dois anos. Isso definiu o drama — a menos que a série estivesse preparada para ir para um cenário de cura miraculosa.

Gilligan foi treinado em *Arquivo X*, onde começou como roteirista especulativo e chegou a escrever quase trinta episódios e se tornar produtor. Ele tinha ficado impressionado com Bryan Cranston em um episódio de *Arquivo X* quando o ator interpretou um sequestrador que manteve Mulder (David Duchovny) em cativeiro, permanecendo simpático. *Breaking Bad* foi a primeira série de Gilligan que chegou à produção. Mas isso não significa que o plano original corresponda à caixa de DVDs que você deseja (oferecida on-line a diferentes preços). Programas de televisão são um processo de ajustes e crescimento — ou o caos. A primeira ideia de Gilligan era de que o programa se passasse em Riverside, Califórnia — para que fosse uma produção de Los Angeles. Mas no meio do caminho a AMC e a Sony, que financiavam a produção, gostaram da ideia de Albuquerque, no Novo México. Isso foi basicamente porque com as suas generosas reduções de impostos, a cidade poderia oferecer uma configuração de trabalho mais barata. Então a praticidade propiciou uma atmosfera essencial e penetrante ao programa.

É praticamente impossível falar *Breaking Bad* sem ver o céu azul mordaz e as nuvens correndo por ele como cacos de cristal. A série adora aqueles céus: por isso Skyler tem esse nome? Existem rapsódias em *time-lapse* no pôr do sol e no nascer do sol, e em um momento contundente, o céu explode em uma colisão

no meio do ar cheia de expressionismo abstrato verde e dourado. A visão do Oeste é surreal e inovadora depois de um século em que ficou satisfeita com a sonolenta iconografia do Velho Oeste e paisagens heroicas imponentes. Albuquerque é o nosso novo melhor inferno vívido, fervendo com justaposições profanas. No carro de Jesse, há dados vermelhos pendurados acima de uma imagem da Madonna. É realmente possível que alguma vez existiu um plano para estabelecer a série em qualquer outro lugar que não Albuquerque, onde o deserto parece pronto para devorar a cidade?

Não é um centro de viagens ou uma grande atração turística — não importa que ofereça vistas espetaculares das montanhas e que esteja próxima ao deserto e à pistas de esqui. Isso permite enclaves bastante residenciais (pense naquelas cenas de senhoras idosas fazendo seus exercícios leves nas avenidas sombreadas), bem como periferias de mau gosto e degradadas e a autêntica pobreza norte-americana — com o deserto aberto além. Fincada na Rota 66 e na linha norte-sul do Rio Grande, oferece vista para as montanhas Sandia. Aproximadamente 20% dos moradores vivem abaixo da linha de pobreza. Fica a uma altitude de 1.600 metros com cerca de meio milhão de habitantes. A população da cidade é 48% hispânica e 5% é formado por nativos americanos. Los Alamos fica a menos de 160 quilômetros de distância, o velho México a pouco mais de 400 quilômetros. Para o bem e para o mal, Walter White fez Albuquerque ficar conhecida. Assim, enquanto a *Forbes* declarou em 2014 que Albuquerque era um local ideal para o desenvolvimento de negócios, a cidade é também um lugar de pobreza e exploração sistêmicas. A venda de cristais de metanfetamina é um projeto que atende ambas as condições.

Mas não se esqueça do negócio da televisão, ou os caprichos que afetam a criação de um grande programa. Quatro vezes em sua história, *Breaking Bad* foi renovada por mais uma temporada. Se você estiver em posse da bela caixa de DVDs com as cinco temporadas (a quinta dividida em duas para haver uma sexta) e 62 episódios (2.976 minutos, ou quase 49 horas de filme), é fácil supor que a série toda foi uma decisão antecipada, e destinada a ser feita. Mas pergunte a Vince Gilligan – ou Walter White, também — o quanto eles tinham "controle" da corrida frenética da vida, de manter-se vivo. Desde o início, *Breaking Bad* recebeu boas críticas; e começou a ganhar prêmios (Bryan Cranston conquistou seu primeiro de quatro Emmys em 2008, embora o programa não tenha ganhado como melhor série de drama até 2013 e 2014, depois de perder em 2012 para *Homeland* e nos três anos anteriores para *Mad Men*). Mas os números subiram lentamente. Na segunda temporada, a audiência ainda estava bem abaixo dos 2 milhões. Na verdade, pode até ter diminuído em relação à primeira, pois houve uma reação negativa de pessoas que achavam que o programa era nojento, violento e imoral — e que fã poderia negar essas acusações? A terceira temporada ainda ficou bem abaixo dos 2 milhões de espectadores. A temporada 4 chegou mais perto desse número. Mas foi apenas nas temporadas 5 e 6 que os números decolaram. Eles começaram em 3 milhões, depois foram subindo para 4 milhões e 5 milhões, até que o último capítulo da série foi visto por mais de 10 milhões de pessoas, porque os Estados Unidos (ou 3% do país) queria ver como Walter iria terminar.

Uma renovação nunca é uma formalidade. Existem séries excelentes que não são mantidas vivas: *Crime Story*, 1986-88 (a educação de Michael Mann), durou duas temporadas; *Rubicon*, de 2010 (criada por Jason Horwitch e produzida em parte por Henry Bromell), foi cancelada após uma temporada; e a grande aventura de *Luck*, de 2012 (criada por David Milch), foi encerrada abruptamente quando sua segunda temporada estava sendo filmada. Tudo isso sugere que fazer televisão pode ser tão perigoso e incerto quanto fazer cristais de metanfetamina. Na verdade, houve sérios conflitos entre a Sony e a AMC sobre a quinta temporada. O programa poderia ter mudado para outro canal a cabo. Mas, em seguida, foi fechado um acordo.

Ok, você pode estar dizendo, o mercado de entretenimento é difícil. Mas considere o que isso significa em termos de criação. Quando você conta uma história, tem que ter alguma ideia do final, ou finais. Eu não estou dizendo que já se saiba todos os detalhes do enredo ao longo do caminho, ou que você sabe quem vive, quem morre, e qual é a moral de tudo. Mas você não pode avançar sem ter consciência dessas questões e de como elas pairam sobre você. Se você pensar nos *Sopranos*, claramente a questão mais angustiante enquanto a série avançava era: "O que vai acontecer com Tony?". Será que ele vai afundar ou flutuar? Será que o nosso senso de destino fictício e a moralidade associada requerem que este criminoso seja detido, indiciado, acusado e preso? Será que ele vai se suicidar ou tomar um tiro? Será que ele se afunda em um desespero final antigaranhão? A última audácia do criador David Chase foi dizer, em resposta: "Bem, eu não tenho muita certeza... pense o que você quiser". Será que isso quis demonstrar uma abertura natural, relaxada, ou uma indecisão que diz, bem, quem sabe, talvez a gente faça outra temporada?

Outra temporada significa um monte de dinheiro para muita gente. As séries de televisão sempre visam ser vendidas: ter episódios suficientes para que o pacote possa ser vendido para redes locais e internacionais por anos e décadas. O modelo estabelecido por programas como *I Love Lucy* determinou o padrão de negócios da televisão. E se a venda é menos importante agora, a venda e o aluguel de caixas de DVDs e a transmissão on-line das temporadas tomaram as rédeas. Assim, os criadores de uma série vivem com o dilema de equilibrar seu melhor senso de dramatização e as muitas pressões envolvidas em mantê-la no ar – e conseguir mais dinheiro e segurança para os criadores e sua equipe não é exatamente a menor delas. Se você se colocar no lugar do Walter, ele sabe que está morrendo, mas, enquanto isso, ele quer ficar vivo

Gilligan trabalhando. Está tudo na minha mente —
então como é que eu vou colocar isso na sua cabeça?

"para sempre" e conseguir tirar o melhor proveito desse acordo que vai se esgotando. Ele tem obrigações com sua "equipe", mesmo que esteja divorciado, na clandestinidade, e ainda tentando desesperadamente manter a sua dignidade. Ele percebe que fará qualquer coisa por mais uma temporada — ele poderia matar alguém, ou ir para a Disneylândia.

Permitam-me abordar essa pressão de uma forma engraçada. No final do *Rei Lear*, está claro que o velho teve sua punição — com uma vingança. E tudo está planejado, pronto para a cortina final: Edmundo é desmascarado; as irmãs más são humilhadas; os cadáveres se acumulam; o rei chega com o corpo de Cordélia em seus braços; o próprio Lear morre. Por hoje é só, pessoal! Mas então o canal de TV a cabo diz: podemos conversar? Olha, essa é uma ótima situação, nós detestaríamos acabar com ela. Será que

o Lear poderia continuar vagando pelo país por *mais uma* temporada? Seria possível que Cordélia sobrevivesse? Suponhamos que Lear contrate um advogado; suponhamos que o Bobo encontre uma namorada. E se o Bobo e Cordélia se apaixonassem? Eu sei, isso é ridículo. No entanto, não é. Esse é o apetite natural da boa televisão por cada vez mais continuações, e menos desfechos. Assim, Walt esticou o prognóstico de dois anos em seis temporadas, e isso foi possível porque uma temporada na TV não durava um ano real no Novo México. Além disso, tudo bem terminar com Holly com dois anos, porque ela ainda nem tinha falas. Mas se passasse muito além dos dois anos, essa criança teria que se tornar um personagem. Note-se, aqui, que *Breaking Bad* tem crianças surpreendentes — basta lembrar o garoto ruivo da segunda temporada, com Spooge. Era um menino de Cormac McCarthy ou Charles Dickens, e uma das imagens mais assombrosas de vida e morte do programa de uma maneira elegante.

Depois pense nos desdobramentos desta aposta com o destino. Quando um autor oferece um novo programa, ele tem que delinear o seu futuro. Ele fornece um "livro", que contém o passado dos personagens e seu futuro. Todo mundo sabe que isso é tão especulativo como o céu azul (e se a história hesitar, cortem o céu). Mas o plano é exatamente como Walter chegando à conclusão de que vai precisar de 737 mil dólares. Além disso, ele exige uma equipe muito maior do que a de Walter. Vince Gilligan vai presidir o programa. Ele vai dirigir a equipe, como um *quarterback* de um time de futebol americano e seu treinador. Ele tem que ter todas as possibilidades na cabeça, e ele próprio vai fazer um monte de coisas. Ele escreveu treze episódios e dirigiu cinco ao longo dos anos, mas nós acreditamos que ele supervisionou tudo — porque ele é como Walter: ele sabe que se você quer algo bem feito, você mesmo tem que fazê-lo, ou conhecer a pessoa que vai fazê-lo, e assumir a responsabilidade por tudo. Você vai precisar de um corpo de escritores, diretores, membros da equipe, Sauls e Jesses. Seu trabalho vai ficar complicado muito rápido, pode ser que não sobre espaço para a coisa chamada vida. "Onde você andou o dia todo?", Skyler pergunta a Walter.

Você precisa de atores, e mais cedo ou mais tarde eles querem contratos e compromissos de longo prazo. Então Tuco aparece (sob a forma de Raymond Cruz). Ele é tão bom, todos nós queremos mais. Mas quanto tempo esse fusível pode queimar sem explodir? Depois, tem o tio de Tuco, o Tio, aquela vítima de derrame malignamente inteligente que com apenas um toque na sineta pode condenar o mundo — esse é Mark Margolis, um veterano que no passado foi um assassino no *Scarface* de Al Pacino. Você não poderia assistir à interpretação dele para sempre? Mas a razão diz que ele tem apenas um momento. Então Saul aparece (Bob Odenkirk), um convidado que se torna um fixo e um corrupto encantador até que... bem, aí vem uma série *spin-off*. Enquanto isso está se desenvolvendo, você pode se perguntar: o que acontece com Skyler após o divórcio? Não podemos ficar sem ela, né?... Porque seria impossível imaginar

Walter não pensando mais nela. Mais importante ainda é a questão do Walter. Sim, ele vai morrer – seria ir na contramão da série se ele ganhasse algum tipo estranho de remissão (embora personagens na TV sejam mortos e depois retornem, exatamente como Conan Doyle achou melhor fazer para trazer Sherlock Holmes de volta). Então Walt tem que ficar — nesse caso, Bryan Cranston é um fixo. Em que ponto — isso é mera suposição, pessoal — o empresário do sr. Cranston diz: "Acho que pegamos eles pelas... vamos dizer a cláusula 18a (ii)". Dos jovens de *Friends* a James Gandolfini em *Família Soprano*, o momento da renegociação sempre chega. E por que não? Não é o próprio Walter quem diz a Jesse: "Nós acuamos o mercado e aumentamos o preço"?

Trabalho em equipe, ou empresa, é um conceito amplo o suficiente para caber tanto hostilidade amarga quanto fraternidade. Contudo, em ambas as situações uma equipe tem de ser liderada, ou presidida, e um enredo deve ser mantido sob um tipo de controle que admite a si mesmo a toda hora que esse estado ideal não existe. Walter sabe o que está fazendo... até que alguma coisa aconteça.

Esse espaço não é suficiente para homenagear cada membro da equipe; mais do que isso, eu não tenho o conhecimento necessário, por não ter estado lá durante a produção. Mas alguns pontos importantes devem ser salientados. *Breaking Bad* teve três produtores executivos e um produtor coexecutivo — Vince Gilligan, Mark Johnson, Michelle MacLaren e Melissa Bernstein. Johnson é aquele produtor das antigas que nunca tem o nome assinando uma função específica. Ele começou trabalhando com Barry Levinson, e ele é creditado em *Quando os Jovens se Tornam Adultos*, *Rain Man*, e *Bugsy*. Johnson participou de *Breaking Bad* o tempo todo, o que significa que orientou e moldou tudo, levando o conceito do programa a cada nível de detalhe em que ele podia chegar. Michelle MacLaren também teve essa

Esqueça a questão dos imigrantes.
Os alienígenas estão aqui, em silêncio, implacáveis e hostis.

função, mas, além disso, ela dirigiu onze episódios da série. Melissa Bernstein foi produtora, coprodutora, ou coprodutora executiva de todos os episódios. Não peça a ninguém para definir a diferença, só tenha em mente a certeza de Gilligan de que ela era vital.

Durante muito tempo na cultura cinematográfica os diretores foram considerados as mais importantes figuras criativas, artistas e autores. Mas esse destaque quase não existe na televisão, onde a tarefa do diretor é manter a narrativa ao longo dos episódios, cuidar para que os atores permaneçam em seus papéis, e entregar o episódio dentro do orçamento e no prazo. No entanto, acho que ninguém consegue ver *Breaking Bad* e identificar, sem nenhuma dúvida, um estilo único de direção. Em suma, a direção é produzida. Então MacLaren fez

onze episódios, Adam Bernstein fez oito, o próprio Bryan Cranston fez três episódios, e os outros incluíram diretores de cinema como John Dahl e Peter Medak.

Abaixo, ou junto, dos produtores executivos, havia um núcleo de produtores, entre os quais George Mastras, que escreveu sete episódios, coescreveu três, e dirigiu um; Peter Gould, que escreveu oito, coescreveu três, e dirigiu dois; Moira Walley-Beckett, que escreveu seis episódios e coescreveu três; e Sam Catlin, que escreveu seis episódios, coescreveu quatro, e dirigiu um. Desconfio que isso descreve uma situação em que ninguém mais tem certeza absoluta, ou se lembra, quem fez o quê, quando. Os créditos são confiáveis até certo ponto. Mas o trabalho tem que ser feito, geralmente sob a pressão de tempo. Você faz o que tem de ser feito.

Mas algumas tarefas são mais específicas, e elas requerem um conhecimento técnico que não se aprende no calor do momento. Michael Slovis dirigiu quatro episódios, mas foi o responsável pela direção de fotografia em cinquenta episódios. Isso traz à tona a questão das cores e tons na série. *Breaking Bad* mergulhou na luz berrante do Novo México e compartilhou a mistura psicodélica de metanfetamina e quimioterapia de Walter. A variação do realismo ao expressionismo, da realidade ao sonho, não deixou dúvidas no olho e na mente que a televisão pode ser bela. A ênfase na fotografia foi mais criativa e espetacular do que em séries como *The Wire* ou *Família Soprano*. Mas Reynaldo Villalobos (*Cowboy do Asfalto, Negócio Arriscado, Desafio no Bronx*) fez seis episódios, e o piloto teve a direção de fotografia de John Toll, que ganhou o Oscar por *Coração Valente* e *Lendas da Paixão*, e que também foi o responsável por *Além da Linha Vermelha*, de Terrence Malick.

Não que esses nomes sejam suficientes. *Breaking Bad* tem seu núcleo central de personagens principais — Walter, Skyler, Walt Jr. (R.J. Mitte), Hank (Dean Norris), Marie (Betsy Brandt) e Jesse. Eles são circundados por personagens coadjuvantes importantes que podem ficar ali por um tempo — os pais e amigos de Jesse; Saul; Jane Margolis (Krysten Ritter) e seu pai, Donald (John de Lancie); Gus Fring (Giancarlo Esposito); Mike Ehrmantraut (Jonathan Banks); Lydia (Laura Fraser) — até chegar naquele cara legal e desonesto, Ted Beneke (Christopher Cousins). ("Eu trepei com Ted", suspira Skyler — observação: ela fez isso com ele, e ela fala sobre isso.)

Além disso, um monte de gente, que pode participar de alguns episódios, ou de apenas um. Estes incluem os Salamanca, a família Spooge, os policiais, os moradores de rua. Muitos desses papéis podem ter surgido do nada e precisavam ser preenchidos a curto prazo, e isso só destaca o valor da escolha do elenco. Os autores e produtores podem ter escolhido Bryan Cranston e Anna Gunn, mas o trabalho dos diretores de elenco Sharon Bialy e Sherry Thomas foi fundamental, 24 horas por dia, sete dias por semana, e cansativo, porque para cada papel agora identificado com um ator talvez meia dúzia de outros foram considerados.

Eu ainda nem falei de música, direção de arte, figurino e maquiagem (há uma profusão de rostos machucados no programa), e me perdoem os artistas, mas não vou. Em vez disso, vamos considerar brevemente *Better Call Saul*, o *spin-off* da AMC, que estreou em 2015. Esse programa é sobre a carreira obscura de Saul Goodman antes de conhecer Walter White. Também se passa em Albuquerque. Você consegue adivinhar quem o criou? Você ficaria surpreso ao ouvir que Vince Gilligan escolheu mais uma vez diretores como Adam Bernstein, Colin Bucksey e Michelle MacLaren, ou que o elenco está nas mãos de Sharon Bialy e Sherry Thomas?

Assim, o *spin-off* parece um desenvolvimento natural, e desejamos sucesso a ele. Mas ninguém sabe com antecedência. O Saul de *Breaking Bad* era um mestre do truque — uma voz fresca e uma injeção de adrenalina. Ele apareceu na história em um momento

É possível, tempos atrás, que Saul fosse um bom advogado em formação — e não apenas um cara deprimido com sua própria série.

em que ela precisava de um impulso. Mas para ser um protagonista ele pode exigir ser mais bem explorado. O público podia de repente dar um grande suspiro coletivo e dizer: "Chega, eu não quero estragar minha memória de *Breaking Bad*, eu quero algo diferente — por que não uma série que se passa em Amarillo ou White River Junction?". O objetivo dessa reflexão é nos lembrar que o tempo todo, de 2008 em diante, ninguém sabia que *Breaking Bad* ia se sair tão bem. Quando você conta grandes histórias para as pessoas, elas podem ficar sentadas e maravilhadas, ou se levantar e sair antes do fim. E, como Walter sabe, a química tem seus próprios mistérios; a remissão é ótima, mas não vai durar para sempre.

Como crítico de cinema, acredito que nenhum filme norte-americano do século XXI se equiparou às conquistas de *Breaking Bad*. Nada no cinema teve a mesma escala e a mesma grandeza, ou encontrou uma beleza que vem tão organicamente de sua narrativa. Essa é uma história única composta de inúmeras vidas. É uma questão de vida e morte, de comédia e tragédia, de desastres e conquistas. Nenhum filme deste século demonstra uma fração da criatividade dessa série, ou mantém um nível tão elevado de diálogo ou entra tão profundamente nos personagens e na atuação. Imagine que emoção seria ver esse filme inteiro na tela grande, com a exibição completa de suas cores e imagens e com rostos enormes. Essa oportunidade pode nunca chegar, e sua ausência vai refletir uma época em que a televisão tem exaustivamente ultrapassado nossos filmes em termos de ambição, inteligência e recursos materiais. Estou escolhendo *Breaking Bad*, mas uma homenagem semelhante poderia ser feita a várias outras séries — *Homicide: Life on the Street*, *The Wire*, *Família Soprano*, *Mad Men*, *Homeland*. É uma lista de uma era de ouro.

O que não significa que não se pode ficar ansioso em relação a uma parte do ouro. *Breaking Bad* pode ser

questionada: pode não dar atenção suficiente para o impacto devastador das drogas; pode ser preconceituosamente dura contra os hispânicos. No nível da mecânica da história, eu ainda acho que o rifle giratório no porta-malas do carro do Walter é piegas, ou metido a James Bond. Depois, tem também a questão das mulheres.

Eu falei anteriormente sobre o feio ataque na internet ao personagem da Skyler, como se de alguma forma ela fosse detestável, injusta com o Walter, e uma desgraça para essa grande série. Ninguém respondeu a essas acusações melhor do que Anna Gunn em um ensaio publicado no *New York Times* (23 ago. 2013), que relatou um ódio por Skyler que tinha atingido a própria Gunn. Mas isso precisa ser levado mais a fundo. Sempre houve uma corrente de projeção fantasiosa em filmes sobre crimes que convida os espectadores do sexo masculino a se identificarem com os personagens criminosos. Nós nos iludimos ao deixar de perceber o quanto das frustrações masculinas — sobre sermos fracassados sem glamour na vida — encontram liberação na dramatização da violência, tiroteios, abuso de mulheres e sonhos de autoridade.

As duas primeiras partes de *O Poderoso Chefão* estão entre os filmes mais influentes de todos os tempos. Podemos dizer que são retratos da maldade crescente que vai transformando Michael numa figura satânica. Mas isso não é suficiente. Esses filmes resistem, e são atrativos para serem revistos, porque tornam o sonho sombrio atraente. Michael se tornou tão poderoso que ele não precisa de mais nada na vida: ele é dono de seus filhos, mas não fala com eles; ele exila a esposa; e ele manda matar um irmão por tentar traí-lo. Ele fica isolado no final, mas é uma solidão grandiosa, que se apresenta como um conforto desolado. Para aqueles de nós que se sentem incapazes ou medrosos, esse é um panorama sedutor. Some-se a isso a forma como Michael ofusca e intimida a esposa, Kay (Diane Keaton). Ela entende sua maldade. Ela certamente identifica o perigo para os filhos. No entanto, ela não tem força moral para se opor a ele, e essa é uma fraqueza na realização dos dois filmes.

Não é que Vince Gilligan tenha sido convocado para corrigir falhas na obra de Francis Coppola. Ainda assim, Skyler é importante porque ela resiste ao herói do programa. Com dez ou onze anos a menos que Walter, 1,77 metro, e radiante, ela é mais do que ele poderia esperar de uma esposa. Mas ela é comum. Ela não tem nenhum talento excepcional. Sua graça ocasional serve como um emblema do que o casamento e a família significam para os White. Ela é inteligente, ansiosa, atenciosa e afetuosa, mas tudo em um nível convencionalmente sem graça. Ela tem suas esperanças, e a principal é, simplesmente, que ela e Walter vão partilhar suas vidas, não apenas na hora das refeições e na educação dos filhos, não simplesmente no sexo, mas em conversas francas.

Isso é algo que ela enfatiza o suficiente para perturbar Walter e seu sistema de crenças. É o suficiente para fazê-lo descobrir que ele prefere uma vida secreta e evasiva. Abismo entre homens e mulheres? Ou essa é a maneira pela qual a dura realidade dessa América leva as pessoas a viver uma vida fantasiosa? Será que Walter é atraído para a duplicidade não apenas por sua vida criminal, mas por sua natureza interior e sua solidão emocional? Ele diz a Hank que sempre teve medo de muita coisa na vida, e de certa forma, são outras pessoas que o assustam. Por que ele se chama de "Heisenberg"? É porque, de uma maneira sábia e precisa, o físico Werner Heisenberg (1901-1976) deu respeito intelectual à compreensão de que só podemos contar com muito pouco. Ele é famoso por seu princípio da incerteza, em que a matéria tem uma natureza dupla — ondas e partículas. É televisão.

Porque essa é uma história sobre uma tentativa de casamento, é um presságio os White estarem grávidos no início, e isso torna críticas as decisões sobre o seu futuro. Quem vai cuidar de Holly? Ela é uma onda ou uma partícula? A nova criança será a prova do que eles são, ou foram. Depois, Walter fica doente, vira-se para o crime e o segredo. Isso não acontece sem pesar e a comédia conjugal de propósitos cruzados. Mas é como uma infecção. As pessoas que se separam começam a descobrir a inseparabilidade da imaginação, ou como ficar separado apenas fomenta o pensamento sobre a pessoa que se perdeu. Conforme o câncer de Walter progride, sua aliança de casamento escorrega de seu dedo. Então, ele a usa num cordão em volta do pescoço. Ele volta para Skyler no final, para lhe contar a sua verdade: "Eu gostei. Eu era bom no que fazia. Eu estava vivo". A vida é um interruptor, ligado ou desligado.

Na segunda temporada, Skyler sabe sobre o câncer, mas ainda não tem conhecimento do negócio das drogas. Ela fica perturbada por sentir um fosso cada vez maior entre os dois; Walter fica muito tempo fora de casa por razões que ela não consegue compreender. Sua intuição lhe diz que ele está escondendo alguma verdade. Uma manhã, ciente da inquietação dela, Walter se levanta cedo para ser um marido reformulado. Ele faz um café da manhã maravilhoso para a família — esse cara cozinha panquecas tão bem quanto metanfetamina. Ele conta a Skyler que ficou sabendo sobre um curso que pode ajudá-la a escrever melhor. Parece atencioso e simpático. Mas na sequência vem um close-up longo e maravilhoso de Skyler — talvez a cena mais ousada em toda a série — em que ela percebe como a cumplicidade de Walter confirma o quanto ele está perdido. Ela pode ser a pessoa da casa que quer escrever ficção, mas é ele que depende da dissimulação o tempo todo. Ele é um mentiroso. Nada entre eles pode ser igual novamente; no entanto, no final, quando ele explica para si mesmo como fez tudo aquilo sozinho, acho que ela entende e fica aliviada.

Skyler é sua amada, sua Lady Macbeth, e com quem ele conversa. Por isso, é lamentável que alguns espectadores tenham se ofendido por Skyler se tornar uma crítica reclamona, e, depois, ser pega em um caso equivocado. Isso mostra apenas o grau de seu desapontamento e é muito mais razoável do que a resposta de Walter à sua crise. Mas, então, *Breaking Bad* sente os instintos mais profundos de Skyler, e ela é atraída para a operação criminosa com seus instintos de contabilista. Há uma reconciliação moderada entre marido e mulher. Ela compartilha Holly com Walter. Ela sabe que não pode salvá-lo, e vê que terá que se virar do melhor jeito que puder. O casamento se aproxima da tragédia, mas o fio de ironia nunca desaparece. Ocorre simplesmente que, na conclusão — e essa é a conclusão mais completa e crível em séries longas —, Walter vê como o caos pode destruir a dignidade, e depois recuperá-la, e Skyler aprende que às vezes a comunicação se desmancha, enquanto a solidão sobrevive. Por essa época, *Breaking Bad* havia se tornado uma das melhores obras de arte norte-americanas, um romance que por acaso lemos em uma mídia agonizante chamada televisão. ⬡

Durante décadas, a TV nunca se preocupou em ser bela. Mas agora isso está acontecendo e a tela pode ser tão exuberante como um filme.

Conversa com Gilligan

Vince Gilligan, abril de 2014, em Los Angeles

Por que Walter e Skyler estão esperando um bebê no início do programa — e o que isso significa para você?

Você começou com uma excelente pergunta e nunca me perguntaram isso antes. Bem, eu poderia tentar te enrolar com várias razões artísticas, mas infelizmente eu estaria inventando. De um ponto de vista puramente trivial para um escritor, eu estava fazendo tudo que podia fazer naqueles momentos iniciais, especificamente naquele primeiro episódio de *Breaking Bad*, para o público ficar do lado de Walter quando somos apresentados a ele. E é isso, eu não estava pensando em nada muito mais profundo do que favorecer as coisas para Walter. Meu maior medo, uma vez que a AMC e a Sony nos deram o ok para filmarmos o piloto, era que esse personagem iria rapidamente se tornar tão desagradável e que sua primeira decisão, o motor da série — cozinhar metanfetamina —, seria tão repulsiva para as pessoas que nós nem chegaríamos a perder a empatia por ele, mas que talvez nunca a tivéssemos. E, olhando em retrospecto, eu tinha tanto medo dessa possibilidade que talvez eu tenha exagerado um pouco. A ideia é que esse bom homem transtornado trabalhava duro como professor — o que, imagino, seja algo que todo mundo pode apoiar: a ideia daquilo como um esforço nobre. Mas esse trabalho não paga as contas, então ele tem um segundo emprego, e a mulher dele inesperadamente fica grávida de um segundo bebê e o filho adolescente deles tinha paralisia cerebral — acho que estava fazendo tudo que eu podia para torná-lo agradável. Em retrospecto... bem, você sabe, eu estaria mentindo se eu falasse em "gravidez de possibilidades". Na época, tudo que eu sabia é que eu tinha que fazer o que pudesse para que as pessoas não abandonassem o cara antes de o conhecerem melhor.

Entendo o que está dizendo, mas, para mim, para um casal que tem apenas um filho, uma criança que não é fisicamente perfeita, e nenhum deles sendo exatamente jovem, essa gravidez traz algo para a história — eu poderia dizer que é quase bíblico. É como se eles se tornassem uma família ao fazer uma aposta no futuro, mas de muitas maneiras o programa diz *esqueça o futuro, este é um mundo terrível que está indo para o inferno*. Então, dito isso, a chegada de um novo bebê é muito importante. Acho que Skyler não seria um personagem tão rico como ela é se não fosse isso.

É por isso que mal posso esperar para ler sua introdução. [*risos*] Vou aprender tanto sobre meu programa. Realmente acredito que a pessoa menos apta a falar sobre um livro, uma pintura ou o que for é a pessoa que o fez. Eu me lembro de ter medo a maior parte do tempo sobre saber se a série seria boa o suficiente, interessante o suficiente e se as pessoas continuariam a assistir.

> **"Meu maior medo [...] era que esse personagem iria rapidamente se tornar tão desagradável e que sua primeira decisão, o motor da série — cozinhar metanfetamina —, seria tão repulsiva para as pessoas que nós nem chegaríamos a perder a empatia por ele, mas que talvez nunca a tivéssemos."**
>
> VINCE GILLIGAN

Deixe-me perguntar algo que, para mim, parece relacionado a isso que você disse. Imagino que quando o público reagiu contra a Skyler você tenha ficado muito surpreso. Você previu que essa reação viria?

A negatividade contra Skyler, o ódio, foi uma grande surpresa pra mim. E foi uma surpresa também para Anna Gunn. Tenho pelejado com isso por algum tempo, porque foi chocante. Acredito que há mais do que uma explicação para isso e eu não sei se consigo elencar todas as respostas. Mas parte disso tem a ver com misoginia pura e simples, embora eu tenha falado com mulheres que odiavam Skyler quase tanto quanto alguns homens a odiavam. Tenho dificuldade em imaginar uma mulher misógina, mas acho que há uma parte disso — não há como negar.

A coisa mais perspicaz que ouvi sobre isso veio de um produtor. Estávamos participando de um debate e a pergunta surgiu: "Por que as pessoas odeiam Skyler?". Para ele, era muito claro que nós não gostamos de personagens que não tenham poder. Ele achava que Skyler estava fundamentalmente em uma posição impotente. O que ele disse fazia todo o sentido, porque nós mesmos, ao longo da vida, muitas vezes nos encontramos em situações de impotência e esse é um sentimento que nenhum de nós gosta de ter. E nós não queremos nos identificar com os fracos. Nós podemos nos identificar com os oprimidos, mas não com os verdadeiramente impotentes. O oprimido é, acima de tudo, uma pessoa que luta contra as desvantagens superiores e finalmente as vence, e se eles estão nesse rumo, nós podemos torcer e gostar de vê-los fazer o que é necessário.

Mas Skyler está nessa posição nada invejável de subserviência aos desejos de seu marido. Nós fizemos um episódio muito importante em que a Skyler descobre as atividades de Walt, sua ligação com as drogas, e ela basicamente disse "eu não vou te entregar à polícia. Eu não posso fazer isso com você. Mas você tem que sair da nossa casa". E ele faz o jogo dela de forma bem-sucedida. Ele diz: "Eu não vou sair — chame a polícia". Essa foi uma grande virada para nós e talvez tenha sido o momento seminal quando as pessoas começaram a odiá-la. Eu não posso provar, mas tenho que pensar que esse foi o momento.

Mas as pessoas parecem odiá-la por diferentes motivos. Algumas veem-na como se ela tivesse muito poder, interpondo-se entre Walt e os desejos dele. É estranho, mas quanto mais Walter White se desenvolvia na trama, menos empatia *eu* tinha por ele. Era uma ironia, considerando o quanto estive preocupado naqueles primeiros dias que ele fosse amável, mas, no final de tudo, honestamente, eu gostava bem menos dele do que o espectador médio de *Breaking Bad*. Eu falava com minha própria mãe e com minha namorada de longa data e elas diziam "estou tão triste que o Walter vai morrer", e eu pensava: "Sério? Ele se deu muito bem!".

Desde o primeiro episódio ele ia morrer — todos nós vamos morrer — e ele morreu nos seus próprios termos; ele se foi mais ou menos como um herói. O fato de que ele arruinou completamente sua família no processo não pareceu pesar nele da mesma forma que pesou em todos os demais na história. Foi, de todos, o personagem com quem eu menos simpatizei.

Sobre Skyler, sempre simpatizei mais com ela, especialmente à medida que o programa progredia. Naquele primeiro episódio, ela ama o marido, mas parece um tanto fora de sintonia com ele. Sempre pensei nela como uma personalidade forte e alguém que ama a família e faria de tudo para mantê-la unida. Mas conforme o programa vai progredindo, ela tem de encarar escolhas difíceis: entrego meu marido ou tento manter a família intacta? Está claro para mim que ela comete alguns erros terríveis no meio do caminho — havia uma resposta muito difícil, mas uma resposta melhor. Num certo ponto, a oportunidade foi perdida e, então, perdido por cem, perdido por mil. Infelizmente, parecia não haver nenhum elemento em Skyler que agradasse o público. Acho que vou seguir lidando com isso por muitos anos ainda. Não acredito que esteja ligado a qualquer tipo de desgosto com a atriz. Porque Anna Gunn é uma mulher maravilhosa e uma grande pessoa, uma pessoa sensível, e sei que o ódio contra Skyler a incomodou bastante.

Isso sobre poder é tão interessante porque, no fim das contas, Walter começa como uma figura impotente em relação à própria vida e ele assume o poder. Esse é o arco da série de verdade. Eu quero jogar duas proposições e queria que você falasse sobre elas. Primeiro: Vince Gilligan — o bom e velho Vince, ele é um técnico do time, ele é o gerente, o dono, o *quarterback*, que sustentou essa enorme empreitada colaborativa e complicada andando na corda bamba que tornou o programa possível. E segundo que ela não seria possível se não fossem outras centenas de jogadores.

Eu ainda acredito que ganho crédito demais. Não é que eu não tenha um ego nem vaidade e é verdade que adoro ser reconhecido como o criador de *Breaking Bad*, mas acho que a teoria do autor, no meu modo de entender, dá muito crédito ao diretor de cinema. E o *showrunner*,[1] na televisão, ganha muito crédito por isso. Eu mantive a bola no jogo e sempre serei orgulhoso disso. Escrevi o primeiro episódio de *Breaking Bad*. Criei Walter White ou a semente dele, naquele primeiro roteiro de 54 páginas. Mas depois vieram 61 episódios. E eu estava definitivamente lá para todos eles, mas Walter White na sua forma mais pura e mais cheia de nuances não existiria sem Bryan Cranston — e meus excelentes escritores que trabalhavam comigo todos os dias na sala dos roteiristas como uma espécie de mente-colmeia criando esses roteiros. E nossos diretores também eram parte integral disso. Eu realmente amo o fato de esse ser um veículo tão colaborativo. Eu sinto muito orgulho dessas centenas de pessoas na produção, pós-produção, mixagem de som, edição, as oitenta ou noventa pessoas na equipe — todas essas pessoas se reuniram e compraram essa história tão estranha e eles estavam tão entusiasmados por esse esforço quanto eu estava.

Não quero crédito por isso. Olho para trás e não sei como aconteceu. Eu não desmereço o elogio de ser o criador, mas em meu coração eu não aceito que isso seja verdade. É muito maior do que qualquer coisa que eu tenha sentido que tenha feito. Eu trabalho em televisão há vinte anos e nunca vi esse entusiasmo antes. E são essas coisas que me amedrontam enquanto eu sigo em frente. Me assusta pensar que nunca vou atingir aquele auge de novo. Eu nunca vou saber com certeza o que fizemos de certo da primeira vez.

Eu queria agora que você falasse sobre o seguinte: eu, Vincent, criei isso. Eu empreguei algumas centenas de pessoas, tive que coordená-las,

---

1 No cinema e na televisão, termo que define o encarregado do trabalho diário de um programa ou série de televisão, e que visa dar coerência aos aspectos gerais do programa, geralmente ocupado pelo criador do programa. [NT]

porque, se não houvesse uma visão e um arco e uma linha, ninguém iria continuar assistindo. E eu sempre soube que a visão era perigosa, porque essa é a história de um norte-americano comum encarando a morte, que resolve aceitar a desordem absoluta da própria vida — e essa é minha visão. Eu sou um cara legal — pelo menos tento ser e me dou bem com todo mundo, mas, no meio da noite, quando acordo, sei que tenho de organizar e impor ordem a esse incrivelmente enorme programa que de outra forma se tornaria o caos.

Era meu maior pavor ao começar o programa — eu nunca tinha sido o responsável por uma série. Trabalhei sete anos como escritor e depois como produtor em *Arquivo X* e o aprendizado que essa série me permitiu não teve preço. Nunca teria conseguido fazer o trabalho que fiz em *Breaking Bad* sem esses sete anos. Aprendi muito na convivência com o criador da série, Chris Carter. Eu o vi ser muito duro às vezes, pegar meio que pesado com algumas pessoas, mas o observava bem de perto e nunca era pessoal. Era com o objetivo de fazer o melhor trabalho possível. Mas *Arquivo X* tinha uma proposta bem diferente; eram 24 episódios por temporada. Isso que é incrível na rede de televisão norte-americana, há tantos programas tão bons como *Arquivo X*, *The Good Wife*, *Hill Street Blues*, *NYPD Blue*. Há tantas boas séries, e quando você pega os números brutos é chocante que um programa possa ser consistentemente tão bom quando você tem que fazer tantos deles. Na TV a cabo — você tem que fazer treze ou dez ou oito episódios por temporada — isso é um luxo. Eu não saberia como fazer mais do que isso puramente por causa da carga de trabalho.

Dia a dia, a página vira e o caos parece se organizar.

Então quando tive a oportunidade — que foi uma surpresa — de ficar encarregado de *Breaking Bad*, de organizá-la em uma série, eu fiquei bem nervoso. Não acreditava que eu tivesse condições de assumir a tarefa, tendo visto quão duro Chris Carter podia ser. A boa notícia sobre criar uma série de TV é que em retrospecto você consegue ver que foi jogado lá, no moedor de carne. A verdade é que você encara isso como um processo. Você começa com um piloto e, se tiver sorte, produz o piloto. Eu também dirigi o piloto, o que é muito raro. Isso não aconteceu por causa de alguma força de personalidade que entrou em uma reunião e disse: "Só eu posso dirigir isso". Eu fui ridiculamente sortudo. Eu me sinto como o Kramer do *Seinfeld*. Eu posso dizer que caí de bunda nisso.

O cidadão que comandava a AMC me perguntou: "Quem deveria dirigir o piloto de *Breaking Bad*?". Fiquei ali em silêncio tentando formular uma lista decente e ele me interrompeu e disse: "Que tal você?". Eu me senti como se estivesse em uma pegadinha na maior parte da origem desse projeto. No papel, ele era a coisa mais difícil de ser vendida e então veio a AMC como a cavalaria montada e disse :"Nós vamos deixar você fazer isso".

Eu não achava que fosse capaz de fazer isso, mas, de passo em passo, fizemos o piloto e então recebemos o ok para produzir os primeiros nove episódios — dos quais só fizemos sete porque veio a greve dos roteiristas. E aquela greve foi outro grande golpe de sorte, porque nós não tínhamos mais ideias! Porque eu não tinha

Vince Gilligan prepara a filmagem enquanto dirige o último episódio da série, "Felina".

> **"No começo, eu achava que seria interessante pegar um cara como eu — alguém que está tentando se dar bem na vida machucando o mínimo de pessoas possível —, pegar essa pessoa e fazê-la atravessar uma fase pesada e lhe dar motivo para que se tornasse um criminoso. Porque os criminosos me fascinam. Eu não quero ser um deles, mas sou fascinado por pessoas que têm a habilidade de fazer coisas que são impossíveis."**

VINCE GILLIGAN

condições de ser o responsável por uma série. Eu estava me atolando em detalhes do cenário, em Albuquerque, 1,3 mil quilômetros de distância da sala dos roteiristas. Estava escolhendo roupas e locações e todos os detalhes que são muito importantes quando você faz uma série. Eu tinha gasto tanto tempo longe da sala dos roteiristas que nós corríamos o risco de não termos nossos dois últimos episódios. Se não fosse pela intervenção divina da greve dos roteiristas, a empresa podia ter dito: "Esse cara não consegue nem fazer uma temporada de nove episódios. Ele não é capaz de conduzir uma série. É melhor cortarmos nossos gastos".

Eu não sou uma personalidade particularmente forte ou obstinada — acho que sou obstinado de uma forma bem calma, que é a minha forma. Acho que essa forma, no fim das contas, funcionou porque eu tentava ser o mais agradável possível para as pessoas ao meu redor. Mas se o trabalho não estava no padrão que eu achava que deveria estar, eu dizia de uma forma tranquila: "Vamos tentar mais uma vez". Era menos como uma carga de dinamite na base de uma represa e mais água mole em pedra dura. Não sou eu quem vai aterrorizar as pessoas. É uma piada comum entre os meus roteiristas; eu nunca digo que uma ideia é ruim, eu digo "que interessante", que eles entendem como

"é uma ideia horrível". No final, essa história realmente me prendeu — ou é melhor dizer esse personagem, porque eu achava que era um cara legal que tinha esse mundo insensato e caótico contra ele. Um mundo que não se importava se ele existia ou não. E no processo de confrontar isso, você percebe que talvez não haja.

No começo, eu achava que seria interessante pegar um cara como eu — alguém que está tentando se dar bem na vida machucando o mínimo de pessoas possível —, e fazê-la atravessar uma fase pesada e lhe dar motivo para que se tornasse um criminoso. Porque os criminosos me fascinam. Eu não quero ser um deles, mas sou fascinado por pessoas que têm a habilidade de fazer coisas que são impossíveis. Pessoas que viveram fora da lei e não se importam com a pressão sofrida. Eu nunca fui esse tipo de pessoa, e isso me fascinava. Era uma espécie de exorcismo bizarro para mim, bem como um experimento em televisão em que você pega o mocinho e o transforma no bandido. Achei que nossa melhor esperança era que nos permitiriam levar duas ou três temporadas nesse pequeno experimento. Eu nunca achei que pudesse se tornar um fenômeno mundial. Se eu soubesse disso no começo, ficaria tão intimidado, seria tão exageradamente cauteloso, que a série não se tornaria o fenômeno que se tornou.

> "Mesmo se o universo for caótico — o que eu candidamente espero que não seja — tenho que acreditar que ações geram consequências. Se o programa foi importante, essa foi a importância que ele teve para mim."
>
> **VINCE GILLIGAN**

Essa série coincide com muitas fontes de ansiedade que nós todos sentimos. Num mundo em que de vez em quando dizemos que esses problemas estão longe da gente. Pode ser porque eles estejam acontecendo no Oriente Médio ou em Ferguson, Missouri, ou seja, algo em relação à meteorologia ou tudo isso misturado. Há uma sensação de que, aqui estamos nós na melhor democracia do mundo, mas nos sentimos desamparados, achamos que tentar fazer algo é fútil. Walter é assim, mas ele sai de seu próprio senso de ordem e, no final, ele diz que se liberou de uma forma terrível. E ele curtiu. Ele gostou. E acho que há uma sensação nas pessoas atualmente que parece que é a última coisa que eles vão fazer. Há um sentido pesado, muito trágico, quase apocalíptico, nessa série.

Certo.

Mas ela fez muito sucesso. Obviamente a série o tornou rico — em algum grau. Ela o tornou mais importante e lhe abriu oportunidades. Eu não acusaria você de estar mais feliz do que jamais esteve, mas, se você estiver, eu poderia entender. [*risos*] Como você concilia essas coisas? Porque acho que você fez um grande romance americano sobre o final do sonho americano. Mas de muitas formas o seu sonho pessoal fruiu.

Ironia sobre ironia, isso é certo. Não tenho nenhum motivo para não estar mais feliz do que já fui. Eu não sei se eu realmente estou, mas suspeito que são apenas enzimas no meu cérebro que me permitem ou não sentir isso. Anos atrás, quando estava escrevendo para *Arquivo X*, conversei com David Duchovny, que é um cara muito esperto, foi para Princeton e Yale, muito mais inteligente do que eu. Ele estava reclamando sobre o final de um episódio que ele estava filmando, mas de uma forma tranquila. "Na sala dos roteiristas vocês sempre querem dar um jeito de chegar a algum tipo de final feliz." E ele perguntou: "Por que vocês têm que fazer assim? Porque a vida não é desse jeito...". E eu não tinha argumentos, mas depois fiquei pensando e isso é o motivo de eu fazer o que faço. Esse milagre de poder inventar histórias que colocam o mundo em uma espécie de ordem que não existe de verdade. Acho que as pessoas querem finais felizes mais do que não querem. Se o universo tiver um tipo de ordem — e eu ainda espero que ele tenha —, talvez haja algum sentido pra tudo, talvez tudo não seja apenas aleatório e caótico. Eu meio que tenho que acreditar nisso para minha própria saúde mental. Eu quero que haja um final feliz, mas não precisa ser com duas pessoas andando de mãos dadas num pôr do sol. Em *Breaking Bad*, ele pode ser um fim de fato, um fim que funcione, verdadeiro para a história. Dito isso, eu não tenho certeza se *Breaking Bad* verdadeiramente atinge isso, mas Walter White realmente termina a série estranhamente feliz. Ainda que ele seja um sociopata. Ele deixa algumas lágrimas caírem ao ver seu filho pela última vez e sua filha bebê e ele se sente mal — meio, de uma certa forma — pelo que ele fez — a morte de seu cunhado, a ruína de sua esposa. Mas ele finalmente gosta daquilo. Ele diz: "Eu curti. Eu era bom nisso". Ele acha seu próprio valor, creio... não sei o que eu quis dizer: eu queria que o mundo fosse um lugar bem moral e eu temo a possibilidade de que não haja sentido. Eu não sou um anarquista. Só porque eu temo algo não quer dizer que eu quero que seja assim. Eu me sinto mais como um estudioso de TV — eu assisti muito quando era criança — e uma das grandes questões na TV é que ela requer tanto êxtase dos personagens que não há consequências em relação às ações ou à violência. Marshal Dillon não atira num cara na rua na série *Gunsmoke* e se sente mal por isso. Ele tem que ser o mesmo Marshal Dillon na semana que vem. O agente Mulder atira em alguém em sua sala de estar em *Arquivo X* e na semana seguinte a mancha sumiu e ele está dormindo no *futon* — e talvez eu tenha escrito esse episódio! Na vida real, não importa o quanto você seja durão, você tem de acreditar que a violência lhe afeta. Isso foi uma parte muito importante de *Breaking Bad* para mim, a oportunidade de explorar essas consequências. Mesmo se o universo for caótico — o que eu candidamente espero que não seja — tenho que acreditar que ações geram consequências. Se o programa foi importante, essa foi a importância que ele teve para mim.

Última pergunta — uma inusitada. Suponha que eu seja um executivo de televisão e chegue para você dizendo que tenho uma ótima ideia para uma série. Quinze anos se passaram da morte de Walter. Holly, sua filha, está para entrar na faculdade. Eu quero que você faça uma série sobre ela. O que isso lhe faz pensar?
Uau! Bem, é interessante, e acho que não contamos isso para ninguém. Mas, na sala dos roteiristas, nós conversamos bastante sobre várias possibilidades, como você deve imaginar. Naqueles episódios finais

de *Breaking Bad*, nada estava fora de discussão e surgiu uma ideia de jogar uma cena no futuro em que uma jovem de 21 anos está em uma reunião num escritório de um advogado, vendo um vídeo em seu aniversário e recebendo dinheiro. E então colocaríamos o público neste momento, duas décadas depois dos acontecimentos finais de *Breaking Bad*. E ficamos especulando sobre o tipo de tela de TV em que ela estaria vendo isso — será que seria num holograma? Então imaginamos uma cena em que o público conhece uma Holly crescida e achamos que seria bem interessante. Odeio admitir, contudo, que nós nunca conseguimos ir além desse ponto. Eu me lembro de ter pensado bastante sobre isso. É uma pergunta bem interessante. Eu vi entrevistas com o filho de Jim Jones — ele está com quase cinquenta anos, acho — e ele é um sujeito bem razoável, que fala bem e despreza tudo que o pai fez, ainda que nessas entrevistas ele demonstre algum amor por aquele homem. Quem não quer pensar em seu próprio pai de maneira terna? Mas acho que Holly estaria numa posição bem diferente porque ela mal conheceu Walter. Ela era muito jovem para conhecê-lo. Tenho que pensar que aquilo seria uma maldição para uma criança carregar. É interessante contemplar, mas uma série sobre Holly — bem, não é como quando Walter White veio para a minha cabeça. Aquele foi um momento arquimediano — Eureka! —, quando achei que poderia sair correndo nu pelas ruas. Talvez Holly não fosse tão diferente do pai. E se ela também fosse uma criminosa?

Bem, você tem tempo para pensar neste momento Eureka. [*risos*] ●

LINHA DO TEMPO DOS ELEMENTOS

01

"Eu passei toda a minha vida com medo, assustado com as coisas que poderiam acontecer, podem acontecer, podem não acontecer... Mas quer saber? Desde o meu diagnóstico eu durmo bem... O que percebi é que o medo, ele é o pior de tudo. Esse é o inimigo de verdade. Então acorde, saia para a vida real e soque esse puto com toda a força que você tiver, direto nos dentes."

| WALTER WHITE | 2x08 |

Pai comprometido. Marido amável. Chefão das drogas. *Breaking Bad* é a história de um humilde e profundamente "normal" professor de química do ensino médio chamado Walter Hartwell White

Catalisador

alter Jr., filho de Walter White, sofre de paralisia cerebral. Sua mulher Skyler está grávida do segundo filho deles. As contas não param de chegar. Após saber que está com câncer terminal, Walt luta para inventar uma forma de garantir a estabilidade financeira de sua família depois que ele estiver morto.

Após testemunhar uma batida policial com seu cunhado agente da delegacia de Narcóticos, Walt vê um ex-aluno fugindo da cena. Em vez de entregá-lo, ele confronta o mau elemento Jesse Pinkman e o persuade a entrar com ele no negócio de produção de metanfetamina. Eles constroem seu primeiro laboratório dentro de um trailer de segunda mão, que Walt comprou com suas últimas economias.

E assim começa a espiral descendente que leva um homem simples a se tornar uma força do mal complexa e poderosa — e a transformação de Walt finalmente afeta a todos que têm contato com ele.

À ESQUERDA E À DIREITA: Cenas do piloto original, escrito e dirigido por Vince Gilligan — a AMC o "fez" assumir a direção. Papai perdeu as calças e o filho tem paralisia, mas mamãe está dando o melhor de si. Eles são uma tentativa valente e deformada do ideal, sagrado e profano. Eles são os Estados Unidos da América.

PÁGINA ANTERIOR: Todos esses presidentes vão pra secadora; é nossa história e economia como um aparelho doméstico.

"Desde quando vegetarianos comem frango frito?"

HANK, SOBRE GALE | 4x05

Agente Schrader

Hank Schrader é o cunhado de Walt que também é agente da Narcóticos. Desde que ela apareceu, Hank tem investigado a fonte de uma pedra azul de metanfetamina de alta qualidade de um certo Heisenberg, o alter ego de Walt no submundo. Ao heroicamente matar Tuco Salamanca, o distribuidor de Walt, ele ganha uma promoção e é designado a trabalhar meio período no escritório do DEA em El Paso, mas também passa a sofrer permanentes e debilitantes ataques de ansiedade. Esses ataques aumentam em intensidade depois que integrantes do cartel surpreendem Hank e outros agentes na fronteira do México em uma emboscada.

Hank desafia seus superiores ao se recusar a voltar ao Texas. Em vez disso, ele continua perseguindo Heisenberg em Albuquerque. Uma dica logo o leva para o trailer de Walt e Jesse, mas uma falsa chamada de emergência sobre sua esposa Marie (irmã de Skyler) estar envolvida em um acidente o desvia do seu caminho e o trailer — e todas as provas que ele continha — é destruído.

No dia seguinte, Hank ataca Jesse brutalmente. "Eu estou me desfazendo", ele diz para Marie em seguida. "Acho que minha vida como policial acabou." O assistente especial do agente encarregado Merket suspende Hank e confisca sua arma. Logo depois, Hank está sem defesa quando dois dos primos de Tuco, assassinos do cartel mexicano, vêm atrás dele em um estacionamento. Hank sobrevive à emboscada, mas suas pernas ficam parcialmente paralisadas.

No período de sua recuperação, ele começa a colecionar pedras e rapidamente se desentende com Marie, que reage voltando a ser cleptomaníaca. Um amigo policial ajuda Marie a não ser presa e, depois, ele pede que Hank o ajude na investigação do assassinato de Gale Boetticher, e a busca de Hank por Heisenberg recomeça. Num momento de orgulho, Walt zomba da ideia de Hank de que Gale fosse Heisenberg, e sugere que o traficante que Hank procura ainda deve estar à solta. O comentário motiva Hank mais ainda, que rapidamente conecta os pontos entre Gale e um proeminente empreendedor local de uma cadeia de lanchonetes, Gus Fring, mas o policial que ele ajuda não acredita muito nessa ligação.

Como Hank não pode dirigir, ele pede a Walt que o leve ao restaurante, à propriedade agrícola e à lavanderia industrial de Gus. Para evitar que Hank chegue muito perto da operação de Gus por trás da lavanderia, Walt deliberadamente provoca um acidente de trânsito — o que leva Hank de volta para o hospital.

Depois que Gus ameaça Hank, Walt faz seu advogado, Saul Goodman, dar uma dica para a Narcóticos. Hank, Marie e a família de Walt são postos em custódia preventiva no lar dos Schrader. Um dia depois, alheio ao envolvimento de Walt, Hank assiste a uma reportagem em um telejornal sobre uma explosão relacionada a drogas que causou a morte de Gus Fringe.

O agente Merkert é demitido por não conseguir lidar com a investigação de Gus Fring, o que permite que Hank seja promovido. Contra a vontade de seu novo chefe, Hank continua a investigar o império de pedras de Gus. Hank tenta extrair informação de nove homens de Gus que tinham sido presos, mas Walt providencia para que eles sejam mortos antes que possam falar. Mike também escapa do alcance de Hank quando Walt descobre que o DEA está próximo e liga para avisá-lo. Sem nenhuma pista para poder prosseguir no caso Heisenberg, Hank está arrasado.

Um mês depois, Hank e Marie visitam a casa dos White para um churrasco. Ao usar o banheiro, Hank encontra uma cópia de *Folhas da Relva*, de Walt Whitman, Gale Boetticher havia dado para Walt. Ao ler a dedicatória para "W.W.", Hank lembra-se das iniciais escritas nos cadernos de Boetticher no laboratório. Será que Walt poderia ser o infame Heisenberg?

Hank lembra-se de dias melhores quando era um mero escalador de árvores e só tinha de se preocupar com mosquitos, queimaduras de sol e comprar cerveja — em vez de "perseguir monstros".

O céu é um personagem na série, um elemento, assim como uma cor, uma lavagem e um plano de fundo falso. Em *Breaking Bad*, assim como nos Estados Unidos, a água e o céu são símbolos ameaçados do nosso fracasso e da nossa desgraça, então o cenário é bíblico e apocalíptico.

Cozinheiro-chefe

Quando somos apresentados a Jesse Pinkman — conhecido inicialmente por seu apelido das ruas "Cozinheiro-chefe" [Cap'n Cook, em inglês] — ele é um usuário de drogas relativamente inocente e fabricante novato de metanfetamina, que acrescenta seu próprio e ridículo toque de pimenta em pó a suas pedras de segunda. Jesse anda com uma turma de bandidos fajutos que tiram onda de assassinos frios, mas são completamente inofensivos.

Jesse Pinkman é ex-aluno de Walt e torna-se seu sócio no negócio de metanfetamina. Ele nunca foi o melhor aluno, mas se tornou um hábil cozinheiro de pedras sob a orientação de Walt. No começo, Jesse lidava com a parte da operação "das ruas", apesar de seus erros sempre precisarem da intervenção de Walt. Para conseguir fabricar o produto com qualidade e quantidade, ele e Walt compram um trailer baleado e o transformam em seu laboratório móvel de metanfetamina difícil de ser rastreado.

Quando Walt se afasta temporariamente do negócio das drogas, Jesse o enfurece ao cozinhar sozinho no trailer. Walt mina a operação do ex-aluno ao fechar um acordo com Gus, um distribuidor de alto nível. As relações entre os sócios se deterioram ainda mais depois que Walt e Jesse enganam Hank, abandonando o ferro--velho onde ele havia localizado o trailer — especialmente quando Hank vem atrás de Jesse mais tarde e quase acaba com ele. Walt finalmente acalma Jesse ao oferecer um trabalho para ele no superlaboratório de Gus.

Jesse não sabe que Walt estava por perto e não fez nada enquanto sua namorada Jane morria, uma morte pela qual ele se sente culpado. A relapsa viciada Jane chantageou Walt, porque ele segurou a metade dos lucros das vezes que Jesse cozinhou sozinho por não aprovar o uso das drogas pelo casal. Depois que Walt entregou o dinheiro a Jesse, o casal prometeu que iria se desintoxicar e começar uma nova vida em outro lugar — mas, antes, eles passam uma última noite usando o resto do seu estoque. Jane teve uma overdose enquanto Jesse dormia e o visitante Walt apenas observou sua morte.

Quando Jesse descobre que os traficantes de Gus foram responsáveis pela morte de seu amigo Combo e pela morte do irmão de sua namorada, ele tenta se vingar. Walt mata os traficantes para proteger Jesse e depois pede para que ele mate o antigo assistente de Walt no laboratório, Gale, para que Walt se torne o único cozinheiro de Gus. É a única forma de impedir que Gus mate tanto Jesse quanto Walt.

Para amenizar sua culpa em relação ao assassinato de Gale, Jesse volta a usar drogas. Gus tenta reabilitar Jesse — e fazê-lo trair sua lealdade a Walt — ao elevá-lo na operação da metanfetamina.

Gus leva Jesse para o México, onde ele pode ensinar a fórmula de Walt aos químicos do cartel para tentar evitar uma guerra. Depois de cozinhar uma fornada com sucesso, Jesse ajuda Gus e Mike a assassinar o chefão do cartel Don Eladio e seus capos.

Breaking Bad é cheio de cômodos infernais, armadilhas mortais e prisões prematuras — o interior do trailer é a primeira, onde Walter luta uma batalha perdida para fazer tudo certo.

WALT: Cozinhe o que quiser, desde que seja aquele ridículo Chili P ou outra merda. Mas nem sequer pense em usar minha fórmula. JESSE: Quero ver você me impedir... *bitch*.

MAS | 3x05

Quando Brock, o filho de sua nova namorada, é hospitalizado com sinais de envenenamento por ricina, Jesse vai atrás de Walt enfurecido. Walt acusa Gus de ter envenenado Brock. Uma acusação falsa, mas Jesse acredita nele porque os associados de Gus já têm um histórico de ferir crianças. Jesse então lhe dá informação que permite que Walt embosque e mate Gus.

Jesse fica acabado quando não consegue encontrar o cigarro de ricina perdido — mesmo depois de ter sido revelado que Brock havia sido envenenado com lírio-do-vale. Fingindo ajudá-lo a procurar, Walt planta um cigarro falso de ricina na casa de Jesse. Jesse o encontra e desmorona, desculpando-se por suas suspeitas.

Walt e Jesse recomeçam a operação de metanfetamina, convencendo Mike a ser seu terceiro sócio. Jesse age como um amortecedor entre Walt e Mike, que raramente se veem pessoalmente para tratar de algum assunto. Juntos, Walt e Jesse constroem um engenhoso laboratório móvel e Jesse consegue se manter sóbrio e ter uma vida estável com Andrea e Brock. Isto é, até que o controlador Walt convence Jesse a romper com Andrea, para protegê-la de uma vida de mentiras.

Quando um assalto a um trem para roubar um tanque cheio de metilamina resulta na morte de uma criança inocente, Jesse decide sair do negócio da metanfetamina de forma permanente. Mike convence um distribuidor local a comprar sua parte da metilamina roubada e — depois de acertar alguns compromissos da parte de Walt — Jesse está livre para abandonar os negócios.

Sua decisão enfurece Walt e os dois terminam mal. Jesse pede para Walt sua parte da venda da metilamina, mas Walt se recusa a dar para ele. Ele diz que Jesse não deveria aceitar dinheiro sujo de sangue. ...do Walt decide ele mesmo sair do negócio alguns m... depois, ele visita Jesse e lhe dá sua parte do dinheiro

PÁGINA AO LADO: Todo negócio tem ... as fraturas: um saco plástico de ê... e esquecimento, todos os veículos arruinad... foram os sonhos de liberdade do último metal forjado e sua estrada aberta. Walt esc... o sinistro ferro-velho para negociar drog... com Tuco. É o cenário perfeito para um acord... infame e para a descida de Walt à vilania.

Reação

O primeiro passo de Walt em sua ascensão ao poder é assegurar a distribuição da metanfetamina. Com as conexões de Jesse, ele conhece o implacável e imprevisível chefe de South Valley, Tuco Salamanca. Sem condições de movimentar grandes quantidades por conta própria, Walt e Jesse finalmente fecham um arriscado acordo com Tuco — mas, para convencê-lo de que eles são legítimos, Walt tem que primeiro mostrar como ele é perigoso, então, ele usa um "pequeno truque" de química explosiva para provar.

Depois que Walt e Jesse sobrevivem ao serem sequestrados por Tuco, os dois tentam administrar o negócio por conta própria. As coisas não vão bem e eles são forçados a buscar conselhos legais do advogado criminalista Saul Goodman. Saul os ajuda e até consegue que Walt conheça um novo distribuidor: o chefão da metanfetamina e proprietário de uma rede de fast-food Gus Fring.

Skyler, a esposa de Walt, exige o divórcio quando descobre a nova profissão do marido. Enquanto isso, dois assassinos do cartel rumam a Albuquerque para vingar a morte de seu primo Tuco. Para salvar Walt, Gus os desvia para Hank, que sobrevive à emboscada, mas fica gravemente ferido. Percebendo que as atividades com drogas de Walt estão conectadas ao ataque, Skyler se oferece para pagar as despesas médicas de Hank, dizendo a Marie que Walt ganhou uma fortuna no jogo ilegal.

As relações com Gus deterioram depois que Walt mata dois de seus traficantes para proteger Jesse, e depois que Jesse mata Gale, o químico que Gus estava treinando para ser o substituto de Walt. Walt prepara ricina para envenenar a bebida de Gus, mas Gus mina a lealdade de Jesse em relação a Walt quando o promove dentro da operação de metanfetamina. Walt, contudo, põe Jesse contra Gus ao falsamente acusá-lo de envenenar o filho da namorada de Jesse. Jesse diz para ele que o único ponto de fraqueza de Gus parece ser o tio de Tuco, chamado de Tio, um ex-integrante do cartel com quem Gus mantinha relações. Walt convence Tio a amarrar um explosivo caseiro à sua cadeira de rodas, sabendo que Gus iria visitar Tio em breve no asilo. Tio e Gus morrem quando a bomba é detonada. "Estamos salvos", Walt diz a Skyler. "Eu venci."

Tuco Salamanca

Tuco se torna o distribuidor de Walt e Jesse depois que Walt esgana Krazy-8 até a morte. Conhecido por sua personalidade errática e propensão à violência extrema, Tuco não vê utilidade em Jesse — em seu primeiro encontro, ele lhe dá uma surra e rouba suas drogas e seu dinheiro. Mas Walt, ou Heisenberg, que é como Tuco o conhece, ganha o respeito do traficante ao exigir restituição, usando fulminato de mercúrio para explodir o quartel-general de Tuco. "Você tem culhões, tenho que admitir." Para o desgosto de Jesse, Walt concorda em fazer um quilo de metanfetamina para Tuco. Quando eles não conseguem produzi-lo, Walt convence o anteriormente incrédulo Tuco a lhes adiantar o dinheiro para que eles possam comprar ingredientes suficientes.

As negociações azedam depois que eles testemunham Tuco assassinando seu capanga No-Doze por falar antes da hora. Enquanto a equipe da Narcóticos de Hank dá uma batida no quartel-general de Tuco, ele, armado, sequestra Walt e Jesse e foge para o esconderijo no deserto de seu tio convalescente, chamado Tio. Ele planeja levar Walt para o México, onde eles poderiam cozinhar metanfetamina sem parar.

Preso em um local remoto, Walt tenta envenenar Tuco, mas Tio salva o sobrinho. Walt e Jesse finalmente se livram de Tuco, mas antes que eles possam deixar suas instalações, Hank, que havia tirado licença pessoal para procurar por Walt, tromba com Tuco. Os dois trocam tiros até que Hank finalmente mata Tuco com um tiro na cabeça.

Depois da morte de Tuco, Walt encara a ira de seu tio, Hector "Tio" Salamanca. Confinado a uma cadeira de rodas e incapacitado de falar, Tio foi um peso pesado do cartel e ainda é temido e respeitado — quando ele toca sua sineta, as pessoas escutam.

No-Doze, Tuco Salamanca e Gonzo no ferro-velho onde eles se encontram com Walt e Jesse... e onde No-Doze encontra sua morte nas mãos de Tuco.

HECTOR SALAMANCA

Por que você escolheu tornar Hector Salamanca mudo? Você vê uma relação entre poder e silêncio? Há um tema aí?

Na verdade, estruturalmente, seu único trabalho em sua primeira participação na série era parecer um personagem frágil, mudo e completamente carcomido, que não iria se tornar uma ameaça para Walt e Jesse. E então, num certo momento daquele episódio particular, você percebe que ele está numa cadeira de rodas e parece estar apenas olhando para o nada, ausente — o que não queria dizer que ele não estivesse ouvindo cada palavra que aqueles caras falavam. E só porque Tuco, quando se dirige a ele, fala estritamente em espanhol, não quer dizer que este cara não entenda inglês. Então, estruturalmente falando, Tio veio como uma forma de — "surpresa!" — criar um momento de desagradável surpresa para Walt e Jesse e realmente fazê-los passar por maus bocados com Tuco, esse personagem assustador.

Quando escolhemos Mark Margolis para o papel nós pensamos com nossos botões: "Cara, esse ator é ótimo! Temos sorte de poder trabalhar com esse cara; o que mais podemos fazer com esse personagem? Dá pra trazê-lo de volta?". E foi isso que fizemos. Adoraria dizer que tínhamos todos esses grandes momentos e esses arcos de história todos pensados com boa antecedência. A verdade é que, por um bom tempo, nós não tínhamos. ●

Os caras em ternos cinzas poderiam estar em um funeral. Mas a morte já aconteceu?

Garota Desculpa

Depois de ser expulso de sua casa, Jesse envolve-se romanticamente com a viciada em recuperação Jane — tatuadora e dona do apartamento em que ele mora. Ela aluga para ele o apartamento duplex ao lado do dela depois de ele contar que os pais o expulsaram de casa. "N.S.U.C.", ela o alerta, quando ele explica não poder providenciar fiador ou referências: "Não Seja Um Cuzão". Os dois se apaixonam rapidamente, apesar de Jane frustrar Jesse ao tratá-lo como um mero inquilino na frente do pai dela, Donald. Ela se mostra arrependida, mais tarde, ao passar o desenho de uma super-heroína chamada Garota Desculpa por baixo de sua porta.

Quando Jesse oferece para Jane um baseado, ela recusa e revela que está em reabilitação. Mas mais tarde, quando Jesse está fumando pedras para aliviar a culpa por Combo ter sido morto por rivais, Jane vai se juntar a ele. Dali em diante, ela aplica heroína em Jesse — fazendo-o perder o acordo de metanfetamina com Gus e abrindo um abismo entre Jesse e Walt. Ela então ameaça Walt sobre a parte dos lucros de Jesse. "Eu só pensei que se tivéssemos dinheiro o suficiente ninguém poderia nos obrigar a fazer nada", explica para Jesse, arfante. Jane queria usar o dinheiro para fugir do pai — ela havia prometido a Donald que voltaria à reabilitação na manhã seguinte —, mas uma overdose naquela noite a fez engasgar-se com o próprio vômito. Quando ela sofre a overdose, Walt tem a chance de salvá-la da asfixia mas, em vez disso, apenas a observa morrer. Isso dá origem a uma série de maus entendidos, incluindo a tragédia catastrófica causada pelo pai de Jane, Donald, de luto, que vacila durante o trabalho de controlador aéreo, provocando a queda de um avião e abalando toda a comunidade.

Jane e Jesse são a tragédia em solo, mas no controle de tráfego aéreo o mundo só percebe os desastres que desabam do céu como um maná tóxico.

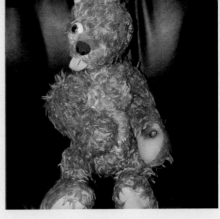

Entrevista Vince Gilligan
WAYFARER 515

Terminamos a segunda temporada com a horrível queda do Wayfarer 515. Foram discutidas outras ideias catastróficas ou os roteiristas sempre planejaram aquela sequência de eventos?

Você ficaria surpreso sobre como as coisas parecem acidentais na sala de roteiristas às vezes. Vamos usar como exemplo a ideia do acidente de avião da segunda temporada. Nós tínhamos, na sala de roteiristas, uma ideia para uma imagem que abriria a segunda temporada. Nós também gostávamos da ideia de uma temporada que fosse emoldurada por uma história circular, em que o início e o final coincidem. Em outras palavras, a imagem que abriria a segunda temporada também encerraria a segunda temporada: começaríamos com a coisa que a encerraria. Há uma circularidade nisso de que nós gostávamos. Nós não tínhamos o MacGuffin,[1] como Hitchcock chamaria. Não tínhamos o grande evento. O grande só apareceu semanas mais tarde.

É engraçado como um escritor tem esse vislumbre de uma ideia ou tem essa imagem — algo onde você pendura seu casaco, como está, e depois vai trabalhando para explicar. Essa discussão levou muitas semanas

Todo mundo teve um ursinho de pelúcia, e rosa-choque é a cor radioativa para essas infâncias fofinhas. O rosa costumava ser atraente; agora, está envenenado. A química tem uma vida própria.

na sala dos roteiristas até chegarmos ao acidente de avião. Gostávamos da imagem de um ursinho de pelúcia flutuando em uma piscina com um dos olhos solto, aparecendo numa peneira de piscina. E a ideia era a imagem daquele urso meio carbonizado e destruído, com a cabeça pela metade naquela água de piscina com cloro. Nós gostávamos dessa ideia, mas não sabíamos como chegaríamos lá. A primeira tentativa foi, na verdade, derivada de uma ideia que nós ouvimos propagada pela internet. Houve uma explosão no laboratório de metanfetamina? Walt tinha um laboratório de metanfetamina em casa? Ouvimos isso depois que o episódio foi ao ar; ouvíamos apostas do que poderia ter acontecido. Foi a nossa primeira ideia também. Mas então pensamos: "Não, isso é muito óbvio. Qual seria um motivo mais interessante para aquele urso de pelúcia?". E finalmente, semanas depois do início daquela temporada em particular, nós tivemos a ideia da queda do avião. Contudo, naquele ponto nós sabíamos — quero dizer, isso é o básico da narrativa — que "não poderia ser um acidente de

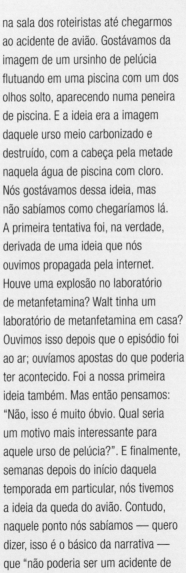

avião aleatório". Isso não é justo, isso não é uma história bem contada.

O mecanismo, o motor da história, que culmina com um avião explodindo sobre a casa de Walt tinha que ser colocado em movimento pelo próprio Walt: fosse consciente ou inconscientemente; fosse de propósito ou por acidente. E assim, isso nos fez gastar muitos meses mais para entender como Walt era de fato, mesmo sem saber, responsável por aquele acidente de avião. E é aí que entra o personagem de Jane; é aí que entra o personagem do pai dela. Foi uma longa e penosa batalha tentar reunir todas essas ideias que iriam ser revertidas de forma engenhosa para aquela imagem inicial que tínhamos em mente.

E houve épocas nesta temporada em que dissemos para nós mesmos: "Nós nunca vamos conseguir acertar isso. Estamos encurralados; nos encaixotamos e, caramba, será que temos tempo de voltar tudo e jogar tudo fora e inventar algo novo?". Felizmente nós não tínhamos tempo para voltar, por isso precisávamos fazer funcionar. E foi uma temporada muito dolorosa para acertar, mas somos muito orgulhosos do resultado final. ●

1 MacGuffin era a forma como o diretor Alfred Hitchcock se referia a um elemento em um filme que motivaria a ação dos personagens, mas que não seria importante para os espectadores. Seu MacGuffin favorito era uma pasta executiva com "documentos secretos". [NT]

"Esses caras que usam crianças assim, têm de cair fora, certo?"

JESSE PARA WENDY | 3x12

A morte de Jane deixa Jesse perdido e à deriva, mas suas restrições na reabilitação parecem tê-lo limpado — quer dizer, até que ele revela seu plano de vender metanfetamina nas reuniões dos Narcóticos Anônimos. Ele conhece Andrea, outra mulher em recuperação, e fica amigo de seu filho pequeno, Brock. Quando Tomás, o irmão de Andrea, é morto pelos traficantes de Gus, Jesse enfrenta o chefão arrogante. Enquanto Walt, Jesse e Gus tentam ultrapassar uns aos outros, Gale é pego no meio do tiroteio... e é Jesse quem está segurando a arma fumegante.

PÁGINA AO LADO ACIMA: Nos estados desérticos, seu carro tem que ter ar-condicionado para o dia e aquecedores de assento para as noites. O carro é um lugar reservado para os motoristas assustados; mas também é melancólico.

À ESQUERDA ABAIXO ATÉ A DIREITA: Tomás ainda é um garoto quando é forçado a matar Combo. É difícil acreditar que ele sabia o que estava fazendo quando puxou o gatilho.

O APITO DA CHALEIRA DE GALE

Ao atrair Gale para a cozinha e para longe de seu celular, o apito agudo da chaleira fervente de Gale pode ter salvo a vida de Walt. Se Gale tivesse atendido ao telefonema de Mike, ele saberia que Jesse estava chegando para matá-lo, e talvez ainda estivesse vivo.

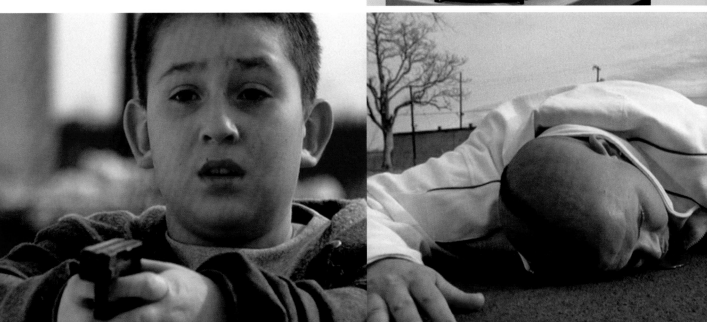

Danny Trejo, que interpretou Tortuga em *Breaking Bad* e é estrela do filme *Machete*, descreve seus hábitos de compras via SkyMall e como sua trajetória de vida é o exato oposto da de Walter White:

Como você se sentiu ao ver sua cabeça decepada sobre o casco daquela tartaruga?

Foi meio estranho. Estava tão bem-feito.

Você guardou a cabeça?

Não. [*risos*] Deixei encoberta por um manto ou coisa do tipo.

Tortuga diz: "Há dois tipos de homens neste mundo, aqueles que bebem e aqueles que entornam". Qual dos dois é você?

Eu não bebo e você tem que ser muito gata ou muito durão para me fazer entornar. Visito muitas escolas e digo às pessoas que se você tem problemas ao beber, então é melhor nem começar. Há muitos bebedores-problema, especialmente jovens. Então tento fazê-los seguir um rumo e ficar longe de problemas.

A história de sua vida parece ser o oposto da de Walt. Você começou em sérios problemas e endireitou sua vida.

É meio como se eu já estivesse estado lá, feito tudo aquilo e comprasse uma camiseta. Na prisão só existem dois tipos de pessoa: há o predador e a presa e você tem meio que decidir qual dos dois você será. Decidi que seria um predador e então você tem que fazer o que é preciso para continuar por cima, porque se você está num monte de merda é melhor estar por cima do que no meio. Até então tive uma boa carreira fazendo caras maus.

Tortuga é bem vidrado no SkyMall. Você já comprou alguma coisa daquele catálogo?

Não, mas adoro olhar. Eles têm muitas coisas legais lá e, quando vejo algo de que gosto, eu pego e faço. Eles têm ótimas sapateiras e modelos de armários. Eu amo tênis. Eles tinham um armário muito legal de guardar sapatos, então olhei como era e construí um.

Quando Tortuga estava no hotel fazendo um acordo com a Narcóticos, você improvisou algumas falas?

Várias delas. E fiz alguns acordos com o advogado: "Vamos apelar por uma pena menor, cara, graças ao meu histórico". Foi muito divertido. Não dá pra ir declamando o Discurso de Gettysburg.[1] Você tem que ficar dentro da história e da época, mas quando o assunto é mudar o texto, muitas vezes acontece de você pegar um roteirista que é formado

1 O discurso mais famoso do presidente norte--americano Abraham Lincoln, feito de improviso. [NT]

em inglês e tal e você tem que viver um personagem como o Tortuga... ele não diria que foi "capturado". [*risos*] Diria que "pegaram" ele.

Você fica admirado por ter conseguido cair fora deste mundo? Como você lida com isso?

Eu tirei as drogas e o álcool da minha vida e tudo começou a melhorar, e a realidade é que, em algumas manhãs, acordo e começo a cagar de rir porque estou na África do Sul. O que diabos eu tô fazendo na Cidade do Cabo, na África do Sul? Estou fazendo um filme chamado *Corrida Mortal 2* e é meio, uau, percorri um bom caminho.

O que você mais gostava em Tortuga?

Eu adorava o jeito que ele se vestia. [*risos*] Botas de caubói e shorts. Era meio *cool*. ⬢

Nos primeiros filmes, o público achava que cada close era uma cabeça decepada. As pessoas mais espertas riam desta superstição infantil. Mas estava certo.

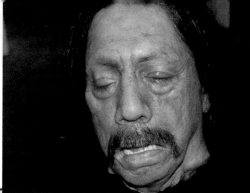

A Tartaruga e o DEA

Uma cena memorável e macabra acontece quando a cabeça de Tortuga, informante da polícia e ex-capanga do cartel, é entregue ao DEA como um aviso, no casco de uma tartaruga do deserto. O nojo ativa a síndrome da desordem pós-traumática em Hank, para a diversão dos agentes veteranos de El Paso... até que os explosivos grudados no animal são detonados, matando ou aleijando vários insuspeitos agentes do DEA.

O cartel não pega leve com delatores. Mas pelo menos eles entendem a ironia. Você perde a cabeça — mas é a tartaruga que está sonhando ou Tortuga? Está explicado porque Hank não consegue entender. Ele é um desses policiais que acreditam em fatos, mas agora ele está aprendendo sobre sonhos.

O rei do frango frito

Gus Fring, o frio chefão das drogas e magnata do frango frito, seu braço direito cansado do mundo Mike Ehrmantraut e o químico doce e libertário Gale Boetticher complicam a química da dinâmica já complexa entre Walt e Jesse. Camuflando-se aos olhos de todos como um executivo legítimo enquanto calculadamente expande seu império ilícito, Gus é a princípio um aliado e logo em seguida um formidável adversário de Walt. Mike, ex-policial que faz as vezes de investigador para Saul Goodman, é o chefe de segurança de Gus, deixando-os um passo à frente da lei. A aspiração de Gale de ser um químico de primeira categoria o torna o peão perfeito no jogo de Gus e Walt — que leva à sua queda pelas mãos de Jesse.

Gustavo "Gus" Fring é um respeitado empresário cujas operações legítimas incluem a rede de restaurantes de frango Los Pollos Hermanos. Gus também é um chefão do narcotráfico, distribuindo a metanfetamina azul de Walt por todo o Sudoeste dos EUA.

Gus inicialmente resiste às investidas de Walt, chamando-o de antiprofissional por ser sócio de Jesse, um viciado. Assegurado por Gale Boetticher — o químico que montou o superlaboratório de Gus — que a metanfetamina de Walt é a mais pura que ele já havia visto, Gus reconsidera e contrata Walt. Enquanto isso, dois assassinos do cartel, os Primos, vêm do México para matar Walt e vingar a morte de Tuco, seu distribuidor anterior. Gus por sua vez os desvia em direção ao agente do DEA Hank Schrader ao mesmo tempo que dá uma pista para Hank sobre o ataque.

LOS POLLOS HERMANOS

"O Pollos Hermanos que Gus Fring possui foi provavelmente inspirado em El Pollo Loco, que é uma marca de verdade... Eles fazem um frango bem bom e nós gostávamos do nome e sabíamos que deveria ter um sabor da fronteira ao sul — literal e figurativamente — ligado à marca, porque sabíamos que Gustavo Fring era da América do Sul. E nós gostamos da ideia dos irmãos, os frangos irmãos (que é o que quer dizer 'Los Pollos Hermanos' em espanhol). Terminamos filmando em uma lanchonete de verdade chamada Twisters, em Albuquerque, Novo México. Mas a ideia dos Pollos Hermanos veio depois que conseguimos a locação. A locação era bem legal, pra falar a verdade. Nosso maravilhoso departamento de arte pintou um logo dos Pollos Hermanos na parede da lanchonete, que acredito ter ficado ali por meses... Pelo que sei deve estar lá até hoje — espero que fique lá para sempre." — **Vince Gilligan**

Gus gosta do Los Pollos Hermanos porque ele é limpo, organizado e decente — mas a margem de lucro é menor do que as ofertas de metanfetamina. Ainda assim não é apenas uma fachada. É o legado executivo e ordenado de Gus.

"Nunca cometa o mesmo
erro duas vezes."

GUS, PARA WALT | 3x11

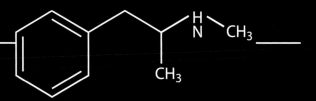

Gale Boetticher e W.W.

Gale Boetticher é o assistente de Walt indicado por Gus em seu superlaboratório. Um especialista em cristalografia em raio X, o químico libertário tem uma atitude de cabeça aberta em relação à metanfetamina: "Adultos conscientes querem o que querem", ele diz a Walt. "Ao menos eles estão conseguindo exatamente aquilo pelo que pagaram." O que Gale brinca que "pode ser o início de uma bela amizade" entre ele e Walt azeda abruptamente. Walt, com a intenção de fazer Jesse seu assistente no laboratório, acusa Gale de cometer um erro e o despede. Antes que Gale se vá, um despenteado Jesse entra no superlaboratório e diz que aquilo é "a bomba". "Isso não faz sentido", diz um pasmo Gale ao desenrolar dos eventos.

Gus reintegra Gale depois que Walt mata dois traficantes executivos para proteger Jesse. Gus visita Gale uma noite para revelar o diagnóstico de câncer de Walt. Ao dizer que ele deve "se preparar para o pior cenário", Gus ordena que Gale domine o processo de cozinhar a droga o mais rápido possível. Para manter a influência com Gus como o único cozinheiro de metanfetamina, Walt arma o assassinato de Gale. Jesse aparece no apartamento de Gale portando uma arma. "Você não precisa fazer isso", Gale implora. Jesse, com lágrimas nos olhos, puxa o gatilho.

Depois da morte de Gale, Hank revê as provas do caso, que incluem o diário "notas do laboratório" de Gale (que contém a fórmula de metanfetamina de Walt) e um guardanapo do restaurante de Gus Fring que faz Hank ponderar sobre o porquê de um vegano comer frango frito. Muito antes, Hank desenvolve uma teoria que é tentadoramente próxima à verdade.

O princípio de incerteza de Heisenberg é o mantra dos roteiristas: você não pode confiar em ninguém, menos ainda nos escritores.

No início de sua colaboração, Gale impressiona Walt ao citar "Quando Ouvi o Douto Astrônomo", de Walt Whitman, sobre a felicidade de experimentar maravilhas científicas em primeira mão. Este poema fala sobre o passado, além de ser um catalisador para a transformação do senhor Chip em Mr. Heisenberg. Gale o recita no episódio 3x06 como uma lembrança sobre o porquê de Walt e Gale terem se tornado cientistas em primeiro lugar — para experimentar a encarnação do mito e da ficção como (al)químicos. Da mesma forma, as riquezas da alquimia também são a razão da corrupção dessa magia em uma arte negra do cozimento de metanfetamina. Os últimos quatro versos resumem as duas primeiras temporadas e meia da jornada de White em *Breaking Bad*, o despertar, quando ele ainda era estudante, de sua própria divindade que percebe estar ao seu alcance quando aprende a escapar e dominar a morte em muitas de suas formas — do câncer, da guerra das drogas e da lei.

Entrevista Vince Gilligan
GALE X JESSE

Como você inventou o personagem Gale Boetticher?

Gale Boetticher era um personagem divertido. Eu e os roteiristas nos divertimos o criando. Como acontece quase sempre quando roteiristas inventam ou acrescentam um personagem a um elenco de personagens que já existe, uma das primeiras perguntas que você se faz é: "O que não está representado em nosso programa?" e eu acho que esse é o caso com Gale. Em outras palavras, para colocar nos termos mais simples: Gale Boetticher era tudo que Jesse Pinkman não era.

Precisávamos de um novo parceiro de cozinha para Walt e o anterior era esse carinha tipo rato de skate que não tinha uma educação mais formal. Ele provavelmente não era capaz de entender aquilo por conta própria; ele não era um químico nem se forçasse muito a imaginação. Jesse não é estudado em qualquer sentido real da palavra, à exceção da formação nas ruas, que ele tem bastante. Nós queríamos alguém que fosse o oposto dele: estudado, que amava química, que fosse um pouco nerd, que recitasse poesia e que fosse um pouco mais amável. Apesar de que, para ser justo, estes dois personagens são amáveis, então há uma

sobreposição aí. Mas em termos gerais, nós tentamos fazer um personagem que é tudo que Jesse não é. E na teoria — e isso é que é interessante sobre o personagem — Walt deveria amar esse cara, Gale Boetticher. Walt é bem mais parecido com Gale do que com Jesse. Ele deveria se envolver com esse cara; deveria dizer: "Oh, meu Deus, isso é fantástico. Tenho alguém com quem posso contar; tenho um cara que me respeita, que conhece química quase tão bem quanto eu. Tenho um cara que acha que sou um gênio brilhante, que entende o suficiente de química e de quem eu recebo esse bom sentimento de adulação. Ele entende o quanto sou bom e isso é uma sensação boa".

Na teoria, este seria o cara com quem Walt deveria ficar, mas em vez disso ele se desencanta bem rapidamente com Gale e decide que prefere ficar com Jesse. E é claro que isso faz com que o público se pergunte no mesmo instante: "Qual é a do Jesse? Por que Walt fica bem com ele? Por que ele prefere ter Jesse por perto em vez de Gale Boetticher?". Essa foi nossa intenção quando avançamos por essa linha da história: fazer com que o público finalmente se perguntasse: "O que Walt quer e por que ele quer as coisas que quer?". ◗

Entrevista Vince Gilligan
WALTERS WHITMAN E WHITE

Você pode nos contar mais sobre os paralelos entre Walt Whitman e Walter White?

Walt Whitman é parte integral de *Breaking Bad* hoje, olhando em retrospecto. Não armamos para que fosse assim. A primeira aparição de Walt Whitman ou, melhor, de um de seus escritos em nossa série, foi quando Gale Boetticher recitou um poema de cor para seu novo mentor, Walter White, em sua primeira aparição no programa. Não sei se consigo fazer agora, mas era um poema que eu amava quando fazia o ensino médio e podia recitá-lo palavra por palavra, "Quando Ouvi o Douto Astrônomo". É um poema no qual o poeta demonstra que sua apreciação do mundo é maior do que explicações científicas secas e eu sabia que era o poema perfeito para aquele momento particular na história.

Penso que o que Walt Whitman estava dizendo nesse poema era "Vamos desfrutar do universo. Não vamos nos preocupar tanto com as explicações secas e detalhadas do universo. Vamos apenas viver nele e desfrutá-lo pelo que é". Mais tarde, eu e meus roteiristas percebemos que Gale — que havia dado aquele livro de poesia a Walt naquele episódio — criava uma saída interessante para a revelação final de Walt para Hank. ◗

Síntese

Depois de Walt ter superado o ceticismo inicial de Gus, ele ganha seu respeito como um empregado confiável de grande habilidade e aparente racionalidade sem paixões ou limites, que chega ao cúmulo de consentir o uso dos Primos para atacar seu próprio cunhado. O equilíbrio delicado não se sustenta, contudo, com Gus e Walt sempre tentando ficar livre um do outro todo o tempo, até que o confronto final atinge uma conclusão explosiva no lar de repouso Casa Tranquila.

Após o fiasco dos Primos, Gus elimina o cartel da operação de metanfetamina da região Sudoeste. O cartel revida sequestrando os caminhões de entrega de Gus e matando um de seus homens. Gus simula aceitar as exigências do cartel quanto à divisão de lucro, mas no México ele envenena Don Eladio, líder do cartel, e vários capos. A matança é uma desforra pelo assassinato do querido amigo e primeiro parceiro de metanfetamina de Gus, Max Arciniega, vinte anos antes, pelas mãos de Tio Salamanca, o tio de Tuco. Gus visita com frequência o agora inválido Tio em uma casa de repouso para intimidá-lo. Ao voltar do México, Gus mostra a Tio provas de que Don Eladio está morto e tripudia que Jesse matou o neto de Tio, encerrando a dinastia Salamanca. A raiva de Tio é tão profunda que ele concorda que Walt amarre um dispositivo explosivo na própria cadeira de rodas. Depois de atrair o inimigo para a casa de repouso, Tio detona a bomba, matando a Gus e a si mesmo.

Entrevista Vince Gilligan
A QUEDA DO CARTEL

Como você chegou à decisão de envenenar o cartel?

Você começa com o óbvio: ele traz um exército de caras com metralhadoras, meio que o fim do *Scarface*. Você despedaça todo mundo com balas voando e granadas de mão sendo arremessadas, coisas assim. E então você pensa: "Isso é como usar uma marreta quando pode ser mais interessante e sutil usar um bisturi". Daí pensamos em todos os tipos de possibilidades diferentes. Chegamos ao envenenamento porque era inteligente. Mas também mostrava a força que aquele personagem Gus Fring tinha. É um cara disposto a se envenenar junto com seus inimigos para conseguir matá-los. Nós escolhemos essa ideia porque nos mostrava Gus como o pior filho da puta do mundo, foi por isso que a escolhemos. ◆

PÁGINA AO LADO: Veneno no ar — de Los Alamos? Ou daquela quimio que pode lhe matar? Também é a metanfetamina que dá um impulso e energia à vida; enquanto amolece sua cabeça. Como na velha Roma dos tempos em que os corruptos Bórgia ali mandavam, o veneno é o removedor de manchas por opção.

SOBRE PLANTAS VENENOSAS E CIGARROS

O complexo plano de Walt para reconquistar Jesse — um passo necessário em sua trama para derrubar Gus — envolve o envenenamento do filho da namorada de Jesse, Brock. A princípio parecia ser ricina, um veneno mortal do qual eles haviam preparado uma dose que seria para Gus. Mais tarde, depois da morte de Gus na explosão, Jesse diz para Walt que Brock vai sobreviver. "Graças a Deus", diz Walt, convincentemente. No fim das contas, não era ricina, explica Jesse; era algo que eles chamavam de lírio-do-vale, que tem frutas que as crianças às vezes podem pegar para comer. "Então, afinal, o Gus não tinha envenenado o Brock", Jesse acrescenta. "Mas ainda assim, ele tinha que ir, certo?" "Você tem toda razão", responde Walt. A farsa de Walt continua quando ele consegue que o guarda-costas de Saul, chamado Huell, troque de maços de cigarro com Jesse no escritório do advogado para parecer que Jesse tivesse trocado o cigarro com ricina. Walt então faz um cigarro de "ricina" de mentira, com sal (à direita) e coloca dentro do aspirador de Jesse.

"[...] em honra a nossa renovada amizade."

GUS, PARA DON ELADIO | 4x10

LWYRUP[1]

Dando suporte a Walt está o imoral Saul Goodman, advogado criminal que busca seus clientes na porta da cadeia e advoga para os piores entre os piores. Apesar do estilo que às vezes beira o cômico, a destreza de Saul para burlar a lei é quase ilimitada, fazendo dele o fiel escudeiro em reluzente poliéster de Walt e Jesse. "Você não quer um advogado criminal... Você quer um advogado criminoso", explica Jesse para Walt logo no início de sua sociedade. Como Saul, que trabalha em um prédio de escritórios caindo aos pedaços e aparece em comerciais na TV tarde da noite alertando clientes em potencial que é "melhor chamar o Saul" quando tiverem problemas com a lei.

O tipo de cara que "conhece um cara que conhece um cara... que conhece um outro cara", Saul encontra um distribuidor de drogas para Walt e Jesse, arruma uma forma de lavar o dinheiro das drogas através de um site (SaveWalterWhite.com) e despacha um "limpador" para o apartamento de Jesse para se livrar de qualquer prova que possa incriminá-lo após a overdose de sua namorada Jane.

Sempre oportunista, Saul trabalha tanto para Walt quanto para Jesse depois que os dois se separam. Depois, por um tempo, só trabalha com Jesse, porque Walt havia descoberto que estava sendo vigiado por Saul, que grampeou sua casa, e os dois brigam. Mas Saul abandona Jesse, mais tarde, quando Walt decide fechar um acordo com Gus. "Esse é o jeito que o mundo funciona, garoto", diz Saul a Jesse. "Fique com o vencedor."

Para o desgosto de Saul, Skyler logo se torna mais envolvida no negócio de Walt e passa a disputar com ele as decisões estratégicas. Mais tarde, Saul ajuda Skyler a conseguir que Ted Beneke pague uma antiga dívida com o imposto de renda quando manda para a casa de Ted seu guarda-costas, Huell, e seu assistente, Kuby, para garantir que o dinheiro chegue onde precisa chegar. Temendo por sua vida, Ted tenta fugir — e se machuca gravemente no processo.

Quando Gus ameaça os White, Saul oferece colocar Walt em contato com um "desaparecedor", alguém que pode conseguir novas identidades para a família Walt por... 500 mil dólares. Saul também concorda em dar uma dica para o DEA a respeito de um plano para matar Hank num esforço para garantir a segurança do cunhado de Walt.

O escritório de Saul é a representação perfeita dele mesmo — chamativo, mas fácil de remover. E desde que o advogado desesperado esteja presente, o cenário convence.

1 A placa do carro de Saul Goodman pode ser lida como a expressão em inglês "*lawyer up!*", um jeito bem informal de dizer "arrume um advogado". [NT]

Enquanto isso, Saul convence Jesse a visitar seu escritório. Huell está revistando Jesse ao mesmo tempo em que Saul lhe passa um monte de dinheiro. Durante a revista, Saul dá um jeito de colocar o cigarro de ricina de Walt em Jesse. Quando Saul descobre que participou sem perceber do envenenamento de Brock, ele tenta terminar a sociedade com Walt. "Nós terminamos quando eu disser que terminamos", Walt ameaça.

Depois da morte de Gus, Saul ajuda Walt, Mike e Jesse a encontrar um novo local para o laboratório de metanfetamina, os associando à empresa de dedetização Vamonos Pest de forma que Walt e Jesse possam cozinhar dentro das casas isoladas que estão sendo fumigadas pela Vamonos. Saul fica furioso ao descobrir que Mike vem desviando dinheiro para sua neta com um outro advogado, que acaba preso. "Vocês sempre têm de falar comigo antes de consultar outro advogado", ele censura, dirigindo-se a Walt e Jesse.

Walt convence Jesse e Mike a participarem da nova operação supermóvel de produção de metanfetamina, usando as casas sob as tendas de fumigação da Vamonos. Eles começam, mas Walt e Mike vivem em constante desentendimento, principalmente depois que Walt sabe que Mike está desviando parte de seus lucros para os ex-empregados de Gus que foram presos para que eles não os entreguem.

Enquanto isso, Skyler se distancia cada vez mais de Walt, com medo dele e do perigo que ele pode trazer para sua casa. Ela continua a lavar dinheiro, mas insiste para que as crianças morem com Hank e Marie. No início, Walt não concorda, mas é forçado a aceitar as exigências quando ela finge ter um colapso nervoso.

Walt, Jesse e Mike planejam roubar um carregamento de metilamina transportado num trem para garantir seu estoque, depois que a Narcóticos começa a se aproximar de sua antiga fonte, Lydia Rodarte-Quayle, uma executiva corrupta do conglomerado industrial alemão Madrigal Electromotive. Tudo vai bem até que Todd, um de seus novos associados da Vamonos Pest, mata um garoto inocente no processo. Esse incidente faz

Todo professor sente uma dor pelos alunos que precisa reprovar — enquanto espera não os encontrar nunca mais.

Jesse e Mike abandonarem o negócio das drogas, o que enfurece Walt. Ele e Jesse se separam.

Novas provas surgem na investigação do DEA sobre Heisenberg, e Mike se vê forçado a fugir da cidade. Walt o ajuda a escapar, mas quando Mike se recusa a identificar os nove presos que podem incriminá-los, Walt, num ataque de raiva, mata o ex-sócio. À própria sorte, Walt volta-se para Lydia e Todd para ajudá-lo a orquestrar o assassinato dos homens na cadeia. Ele contrata Todd como seu novo parceiro na cozinha. Os negócios florescem.

Finalmente, Skyler leva Walt a um depósito cheio de dinheiro. "Quero meus filhos de volta", diz ela. "Qual deve ser o tamanho desta pilha para que isso aconteça?"

Walt decide deixar o negócio da metanfetamina e as coisas começam a voltar ao normal. As crianças voltam pra casa e Hank e Marie visitam os White para um churrasco. Lá, sem o conhecimento de Walt, Hank encontra um livro que foi dado de presente a Walt por Gale Boetticher (veja a página 39). Hank percebe que seu tímido cunhado pode estar conectado a Heisenberg.

Um ano depois, Walt janta sozinho em um Denny's. Sua saúde piorou e ele assumiu uma identidade falsa. Um traficante de armas troca as chaves do carro com Walt por dinheiro vivo, o que leva Walt a um veículo desconhecido no estacionamento. Dentro do porta-malas, uma metralhadora M60.

Paterfamilias

Apesar de ter sua moral profundamente comprometida, Walt ainda se vê como um pai de família. Mesmo quando seu casamento com Skyler se deteriora, ele tenta manter uma relação sólida com seu filho, Walt Jr. — às vezes compete com Hank no exercício do papel de figura paterna do garoto.

Empilhar mentiras para tentar sustentar o filho, enquanto o mantém sem o menor conhecimento, faz Walt se aprofundar ainda mais no buraco do coelho, transformando o menino em um virtual estranho.

Apesar da paralisia cerebral, Junior é como qualquer garoto do ensino médio, só que usa muletas para andar por aí. Ele venera o pai e quando Walt concorda em se submeter a uma cara cirurgia de pulmão, seu filho cria o site SaveWalterWhite.com para juntar dinheiro. "Que pai maravilhoso que eu tenho", Junior declara no site.

O banimento de Walt de sua família afasta Walt Jr. da mãe. Quando Walt aparece em casa e Skyler chama a polícia, Junior diz a eles que a mãe é o problema. "Meu pai, ele é um cara incrível", ele jura.

Walter Jr. fica exultante quando tudo indica que Walt vai voltar para casa. Walt confessa ser improvável que isso aconteça, então Junior faz o pai se sentir culpado e, para compensá-lo, lhe compra um carro. Quando Skyler exige que Walt devolva o carro esporte, Junior mais uma vez culpa sua mãe pela perda. Ele luta para conciliar seu desapontamento quando ela em seguida compra para ele um carro mais sensato.

Walt não consegue ir à festa de 16 anos de Junior por estar se recuperando de uma briga com Jesse. Walter Jr. confronta um surrado e dopado Walt, que se desfaz em lágrimas. Ele conforta Walt, que em dado momento chama seu filho de Jesse. Na manhã seguinte, Walt preocupa-se com a lembrança que Junior terá do pai a partir da noite anterior. "Isso não seria tão ruim", Junior responde. Diferente do ano anterior, Walt pareceu "real" para ele naquela noite.

Depois de lançar um novo negócio de metanfetamina, Walt mais uma vez dá a Junior um carro novinho. Skyler, temerosa de que as atividades de Walt estariam colocando em risco a segurança das crianças, decide enviar Junior e Holly para morar por uns tempos com Hank e Marie. Descontente com essa decisão, Junior tenta mudar-se de volta. Ele se recusa a sair de lá até que Walt dá uma dura nele, e então volta à casa dos Schrader de má vontade.

Walt finalmente deixa o negócio da metanfetamina, o que permite que Junior e Holly voltem pra casa.

Qual é o simbolismo do olho do urso de pelúcia? Quando isso apareceu no programa?

O globo ocular do urso de pelúcia que Walt achou na piscina é simbólico. É muito, muito simbólico. Contudo, não tenho certeza se posso te dizer com 100% de precisão que simbolismo é esse, o que ele representa. Vou lhe contar um pequeno segredo aqui — eu e os roteiristas às vezes pensamos em imagens legais que nós mesmos não entendemos direito. E essa é a resposta honesta para a pergunta sobre o que representa o globo ocular do ursinho de pelúcia: eu não sei exatamente. Quando surgiu, quando inventamos isso, provavelmente representava algo como um olho do universo, o olho de Deus, o olho da moralidade, acho, julgando Walter White.

Mas a explicação para ele reaparecer, mais que qualquer coisa, foi porque eu e os roteiristas entendemos que ele seria um *motif* visual interessante. Às vezes é melhor deixar o público decidir o que essas coisas significam do que estabelecer um significado para elas. Estou sendo sincero quando digo que acredito ser o público que tem mais condição de me contar o que *Breaking Bad* significa. Pois *Breaking Bad* significa coisas diferentes para diferentes pessoas e às vezes eu não consigo separar uma coisa da outra como deveria. Então esses simbolismos como o globo ocular, não tenho tanta certeza se sei exatamente o que significam, mas sempre estou interessado em ouvir o que significa para diferentes espectadores do programa.

Acho que se você me obrigar a dizer o que é aquilo, eu diria que para mim é o olho de Deus sobre Walt. Se não necessariamente julgando-o, no entanto, assistindo-o, acompanhando-o. E então vem a pergunta: se é esse o simbolismo que ele representa, por que Walt guarda aquele olho? Por que ele o deixa na gaveta em vez de jogá-lo fora? E eu não sei o que isso quer dizer também. [*risos*] São coisas assim que fazem você se sentir um escritor e você sabe que elas significam algo, mas não tem certeza do que de fato elas significam. ●

Walt fica tão intrigado com o olho flutuando na piscina quanto nós. Tantas perguntas. Tantas respostas possíveis. Talvez seja por isso que o olho não está na cara do urso: para deixar você pensando.

PÁGINA AO LADO: Sobremesa no deserto; uma reunião familiar em que a comida, as piadas e a conversa fiada são ansiedade *à la mode*.

A irmã

Marie Schrader é próxima de sua irmã, Skyler White, apesar de sua tendência em bisbilhotar às vezes irritar Skyler. As irmãs passam um tempo sem se falar depois que Marie dá a Skyler uma tiara roubada como presente para sua filha que está para nascer. Marie, que está passando por um tratamento para cleptomania, finalmente pede desculpas.

Marie começa a se preocupar com Hank quando ele passa a ter ataques de ansiedade depois do estresse provocado pelo trauma de ter sido emboscado pelo cartel de drogas mexicano. Apesar de Hank se recusar a se abrir sobre seus sentimentos, Marie continua sendo a mais tenaz advogada do marido. Quando ele dá uma surra brutal em Jesse, ela exige que ele minta sobre o ataque. "É um degenerado de baixo nível contra você", racionaliza. Em vez disso, Hank admite a culpa, aceita a suspensão e entrega sua arma. Marie então entra no DEA acusando os colegas de deixar Hank indefeso. Ela fica igualmente enraivecida quando as limitações de seu seguro reduzem as opções de fisioterapia de Hank e, portanto, suas chances de andar novamente. Skyler impressiona Marie com a oferta de pagar pelo melhor tratamento com dinheiro que Skyler diz que Walt ganhou em jogos de carta ilegais. Marie aceita a oferta, mas não conta para Hank.

Frustrado com o lento ritmo de sua recuperação, Hank constantemente desconta em Marie. Ela reage voltando a seus hábitos cleptomaníacos, entra em casas expostas para venda e rouba objetos dos insuspeitos proprietários. Depois que Hank se envolve com a investigação do assassinato de Gale Boetticher, Marie primeiro fica eufórica por Hank estar novamente animado, mas seus velhos temores retornam quando a Narcóticos fica sabendo de outro plano do cartel para matá-lo.

Marie também fica cada vez mais preocupada com Skyler assim que ela começa a exibir sinais de depressão. Marie cobra uma explicação de Walt depois que Skyler fica histérica. Walt diz que o comportamento de Skyler vem da culpa de um caso que ela teve com seu chefe, Ted Beneke. Quando Skyler finge ter um colapso nervoso, afundando na água, como se quisesse se afogar na piscina, Marie concorda em ficar com Junior e Holly para que Skyler e Hank possam resolver sua relação.

Em muitas formas, o caso de Marie é de uma disputa fraterna. Talvez ela anseie por uma crise maior do que a que Skyler encare. Ela rouba qualquer coisa.

OS SCHRADER

"Quando eu estava me preparando para dirigir o piloto, Betsy Brandt — que é essa atriz maravilhosa e muito engraçada que faz Marie — vem para mim e diz: 'Me conte um pouco mais sobre o passado de Marie. O que ela faz da vida, por exemplo?'. Eu estava apenas querendo terminar meu dia e disse: 'Sabe, Betsy, vou ser honesto com você: eu não tenho a menor ideia do que Marie faz. O que você acha que ela faz da vida?'. E sem hesitar ela disse: 'Ela é técnica de raio X', que foi uma resposta tão maravilhosa. Era tão específica... eu adoro a especificidade naquilo. Então eu disse: 'Quer saber? Também acho que ela é isso'. Sobre Hank — por que ele é o homem que é e por que é motivado a fazer o que faz —, esta é uma ótima pergunta. Eu não tenho certeza se tenho uma boa resposta pra isso. Hank é um agente do DEA muito bom. Na minha cabeça é isso que Hank é: ele é muito bom em seu trabalho e bastante honesto, o que é o essencial para ele." — **Vince Gilligan**

Entrevista Vince Gilligan
OS PRIMOS

Você pode falar um pouco sobre a escolha de fazer os Primos não falarem?

Tínhamos um personagem que era essencialmente mudo, o personagem Tio. Nós percebemos que tivemos muita sorte de ter Mark Margolis nesse papel e queríamos extrair tudo que fosse possível — então decidimos trazer Tio de volta. Foi quando pensamos: "Houve uma menção a dois primos vindo do México para levar Walt e Jesse para a floresta com Tuco e fazê-los cozinhar metanfetamina para eles pelo resto de suas vidas". Foi quando pensamos: "Esses primos que foram mencionados, eles ainda estão por aí? Claro que estão! O que podemos fazer com eles? O que seria realmente assustador?".

Os Primos, vividos pelo incríveis irmãos Moncada, se tornaram a coisa mais próxima que *Breaking Bad* teve de um Exterminador, basicamente um personagem que não é chegado a uma conversa. Você faz homenagens para personagens divertidos assim ao pegar uma página de *O Exterminador do Futuro* e ter esses personagens realmente assustadores que não falam o que pensam... e deixam que eles sejam um tanto "misteriosos". Acho que foi daí que veio a ideia de eles serem tão quietos. Na verdade, quando finalmente um deles falou, foi divertido para nós. E espero que tenha sido divertido para o público ouvir palavras saindo de suas bocas. Até aquele momento, você não tinha como saber se eles poderiam mesmo falar. ⬢

Los Terminados

Sem conversa, os implacáveis arautos da vingança do sul da fronteira, Marco e Leonel Salamanca, primos de Tuco, vêm para Albuquerque matar Heisenberg, mas são iludidos por manobras de Gus contra o cartel quando são postos contra Hank. Hank mata os Primos, mas, gravemente ferido no ataque, vê sua força de espírito ser testada ao limite como consequência — confinado a uma cadeira de rodas com sérios prospectos de não voltar a andar.

Sempre há dois matadores de preto. Eles andam aos pares, como sapatos. São companhia um do outro. Alguém com quem possam conversar. A menos que eles não falem.

WALT: Quanto tem aí?

SKYLER: Eu não tenho a menor ideia. Realmente não sei. Eu só fiquei empilhando, mantendo tudo seco, passando veneno anticupim. Há mais dinheiro aqui do que podemos gastar em dez vidas. Eu certamente não posso lavar isso, nem com cem lava-rápidos. Walt... quero meus filhos de volta. Eu quero minha vida de volta. Por favor, me diga... O quanto é o suficiente? Qual o tamanho que essa pilha tem que ter?

GLIDING OVER ALL | 5x08

Ponto final

Conforme a influência de Walt cresce no submundo, Skyler tenta medidas cada vez mais desesperadas para tirá-lo de sua vida. Depois que seu caso com o ex-patrão Ted Beneke azeda, Skyler ainda é deixada com o legado duradouro de seu caso: o fato de que ela o ajudou a adulterar suas contas está prestes a vir à tona com a aproximação de um exame minucioso nas declarações de renda da empresa de Beneke, como parte de uma investigação criminal. Ela encontra uma forma de acertar a dívida, mas não sem aprofundar duradouras consequências tanto para sua família quanto para Ted.

Walt soube que estava morrendo — como se já não soubesse antes. A velha dinâmica dos filmes de crime é o que Walt tende a fazer para depois pedir perdão — que, se você continuar matando pessoas, deixa a série movimentada e adia a decisão de sua própria morte; e se é certo que você vai morrer, há uma licença para matar. Apenas encontre as formas mais diferentes e audazes de fazer isso e deixe que isso nos divirta.

NO ALTO DA PÁGINA AO LADO: Por anos, Walter e Skyler contaram todos os dólares que tinham, esperando encontrar alguns trocados perdidos nas brechas da rotina e equilibrá-los com suas dívidas. Eles já estavam falidos. Então, ao apertar um botão, o saco de dinheiro virou um quarto, um prédio, mais do que podiam contar ou gastar. Eram tão ingênuos que gerenciavam um negócio de dinheiro vivo. Nunca o converteram numa cadeia de hotéis, sistemas de drones ou seguro.

EMBAIXO DA PÁGINA AO LADO: Skyler exige ser levada a sério. Ela veste bem as roupas do poder.

> ## "Era perfeito, mas, não, você tinha que estragar tudo. [...] Se você tivesse feito seu trabalho, ficado no seu lugar, todos nós estaríamos bem agora."
>
> **MIKE, PARA WALT** | 5x07

Obrigado a voltar ao trabalho com Walt e Jesse depois que seu pé de meia com Gus Fring é confiscado pelos policiais, Mike decide que quer sair de vez depois que o assalto ao trem os deixa com um raro composto químico. Ele faz um acordo com Declan, um traficante de Phoenix, para comprar a sua parte e a de Jesse, mas Walt trata de frustrar o negócio. Walt negocia com Declan para torná-lo seu distribuidor e dispensa Mike entregando a ele a parte do dinheiro que lhe cabia. Mas deixar Mike vivo e com condições de incriminá-lo não agrada Walt, o que finalmente coloca os dois homens perigosos em rota de colisão.

Mike, que até então fora a inabalável alma do profissionalismo no coração dos negócios de Walt, entra no radar da Narcóticos quando seu ardiloso advogado Dan Wachsberger é preso com a mão na massa. Saul, em seu escritório, preocupa-se com a possibilidade de Mike entregar a todos se for preso. "Ele não vai abrir a boca", insiste Jesse, mas Walt se preocupa com a possibilidade de isso acontecer com um de seus nove homens. Mike então entra em contato e pede que Saul pegue sua sacola no carro que ele havia deixado no estacionamento do aeroporto. Com a polícia vigiando os movimentos de Saul e com Jesse fora dos negócios, Walt se oferece para resgatá-la.

No aeroporto, Walt pega a mochila no carro de Mike e a abre, encontrando dinheiro, um passaporte e um revólver em um coldre. Walt vai ao encontro de Mike numa área afastada próxima ao Rio Grande. Ao entregar a mochila, Walt insiste que Mike revele os nomes de seus nove homens. Mike se recusa, reclamando que Walt arruinou uma "coisa boa" ao destruir o império de Gus. Walt fica nervoso, se enfurece e imediatamente vai pra cima de Mike.

Enquanto isso, Mike, sentado ao volante do carro, abre a mochila e percebe que o revólver não está mais lá. Nesse momento, Walt aparece do lado de fora de sua janela e dispara. Mike ainda liga o carro e sai, mas bate contra uma rocha, sem ir muito longe. Walt, em choque, cuidadosamente se aproxima do carro e o encontra vazio. Ele segue a trilha do sangue de Mike entre os juncos da margem do Rio Grande, e o encontra sentado em silêncio sobre uma pedra, perdendo muito sangue.

Walt gentilmente tira outra arma da mão de Mike e olha para ele e para o outro lado, atordoado. "Eu acabei de perceber que Lydia tem os nomes", diz Walt. "Me desculpe, Mike, tudo isso poderia ter sido evitado se..."

Mike o interrompe: "Cale a porra dessa boca e me deixa morrer em paz". Walt e Mike olham em silêncio para o rio até que Mike desaba, morto.

Tendo construído um império, mantido sua família unida com a pura força de sua vontade e ganhado mais dinheiro do que ele poderia gastar em dez vidas, Walt está no topo de seu jogo depois da morte de Mike. Skyler exige que ele saia dos negócios e, surpreendentemente, ele concorda, declarando vitória e deixando o posto de *capo di tutti capi* com apenas uma única ameaça a ser superada: Hank, que finalmente suspeita que Walt seja o misterioso Heisenberg.

Depois da morte de Mike, perdido em seus pensamentos no escritório vazio da Vamonos Pest, Walt observa uma mosca que pousou na escrivaninha à sua frente. Petrificado, ele não parece perceber quando Todd entra no escritório. "O carro foi negociado, senhor", diz calmamente Todd, confirmando que Old Joe destruiu o carro de Mike no ferro-velho. "Vamos lidar com essa outra coisa agora?" Sempre perguntas impossíveis.

Fazendo caretas, eles abrem o porta-malas do carro de Walt. O corpo de Mike está lá. "Tinha de ser feito", insiste Walt enquanto eles preparam um barril cheio de ácido fluorídrico. "Tudo bem", diz um compreensivo Todd. Logo antes de começarem, a garagem abre sem que eles esperassem. Todd fecha o porta-malas enquanto Jesse entra, exigindo saber se Mike se foi. "Ele se foi", Walt desconversa.

Preocupado que os homens de Mike se tornem mais suscetíveis à pressão do DEA agora que não haverá mais adicional de periculosidade para eles, Jesse especula sobre o que eles farão. "Não há nenhum 'nós', Jesse. Eu sou o único voto que restou", esbraveja Walt. "E eu lido com isso." Assim, Walt fecha a porta da garagem na cara de Jesse.

Não é tão bonito o Novo México? Por meio do programa, a química com a natureza é impressionante.

Jesse, parecendo morto de cansaço, relaxa segurando um cigarro aceso em sua casa imunda. Walt aparece por lá e Jesse o cumprimenta com cautela. Enquanto esconde o narguilé, Jesse admite que Saul lhe contou que Walt deu cabo dos homens de Mike. Mesmo sabendo disso, ele não tem a menor intenção de voltar aos negócios. Os dois sentem saudades dos velhos tempos no trailer. Jesse se pergunta por que, mesmo depois de já terem conseguido o dinheiro, eles continuaram fazendo aquilo. "Inércia", cogita Walt.

Quando Walt sai, Jesse vê que ele deixou para trás duas mochilas pretas. Muito nervoso, ele abre uma delas e encontra um monte de dinheiro. Ele respira profundamente e desaba no chão. Ele pega uma arma que tinha escondido em sua cintura e a joga para longe pelo chão — parecia que ele compartilhava os temores de Lydia sobre uma veia homicida de Walt.

Enquanto Hank liga os pontos entre o maligno Heisenberg e Walter White, Jesse finalmente percebe o alcance dos feitos de Walt. Com a raiva de Jesse borbulhando, a rede de pesca de Hank se fechando e Lydia e Todd insistindo para que Walt volte aos negócios da metanfetamina, ele tem que usar toda sua força e destreza para manter sua família reunida e fora da cadeia. Mas depois que o câncer no pulmão volta com tudo e todos os seus planos cuidadosamente elaborados ameaçam desabar, sua família finalmente consegue vê-lo como ele realmente é... sem nada a perder, Walt decide que há mais uma coisa a fazer porque pretende sair em seus próprios termos.

Walter quase nunca percebe o mundo ao seu redor, mas em muitos momentos seus defeitos e desordem parecem entendê-lo.

Em retrospecto, o que você mudaria em relação a um personagem, uma cena ou à história?

Felizmente, não consigo pensar em nada sério. Uma coisa que meio que me incomodava, olhando todo o conjunto: os dentes de Jesse são muito perfeitos. Depois de todas as surras que ele tomou e, claro, ele usava toda aquela metanfetamina, que acaba com os dentes — com tudo aquilo que ele passou, ele provavelmente teria dentes horríveis na vida real. Mas extrair dentes dos atores é obviamente fora de cogitação e removê-los digitalmente é difícil e custa muito dinheiro. Então deixar os dentes de Jesse piores foi algo que deixamos de lado. Em retrospecto, talvez tenha sido uma benção não termos conseguido. Ele é um ator tão bonito e isso é bom, então foi bom não enfeiá-lo.

Havia muita discussão sobre se o câncer mataria Walt ou se sua morte aconteceria pelas mãos dos outros? Se sim, por que a decisão final prevaleceu?

Claro. Nós debatemos tudo que podia ter acontecido por dias, semanas, meses — toda e qualquer ideia que podia ser considerada por nós, foi. Quando terminamos, parecia ser mais apropriado que o final de Walt não acontecesse pelo câncer, mas uma morte que ele mesmo causasse. Parecia ser apropriado para o personagem e em relação à jornada pela qual o conduzimos, que Walt tivesse um papel ativo em sua própria mortalidade.

O que aconteceu com Brock?

Brock certamente não está numa boa. Ele perdeu a mãe — não há como se sair bem disso. Será uma lembrança terrível e uma perda horrível para ele. Mas tenho que acreditar que será criado por sua adorável "abuela". Eu não acho que ele queria outra coisa. E, do mesmo jeito que Walt conseguiu que o dinheiro ficasse com sua família, quero pensar que talvez Jesse tenha feito o mesmo por Brock. Eu não estou dizendo que isso é o suficiente: o dinheiro não é uma cura para tudo. Não seria tão bom quanto ter sua mãe de volta. Mas, entre a avó e Jesse, Brock tinha pessoas que olhavam por ele, mesmo que à distância.

Huell ainda está esperando que algo aconteça com ele?

Sim. É triste, mas ele está lá, no sofá, esperando melancolicamente, como um cachorrinho perdido... [*risos*] Não. É provável que o agente Van Oster tenha entrado em contato com a sede do DEA. Então, ao descobrir que Gomez e Hank desapareceram, ele imediatamente procuraria seus superiores e contaria o que eles queriam fazer. Em questão de horas, talvez não tantas no tempo da história, Huell será levado de volta à sede. Eles vão questioná-lo, descobrir o que ele sabe — que não é muita coisa — e ele será solto. Agora mesmo ele estaria fazendo o que faz melhor, seja lá o que for. Ele está por aí, um homem livre.

As ideias dos fãs alguma vez mudaram algo nos últimos oito episódios?

Sim, as ideias de um fã: Kevin Cordasco, que conhecemos por causa da Fundação Make a Wish. Kevin era um jovem paciente de câncer que tinha dois desejos: ver os New York Yankees jogarem e encontrar o elenco e a equipe de seu programa favorito. E quando eu o encontrei, perguntei se ele tinha alguma dúvida — qualquer coisa que ele tinha curiosidade ou sentia que não havia sido abordada — e ele me disse que queria saber mais sobre Gretchen e

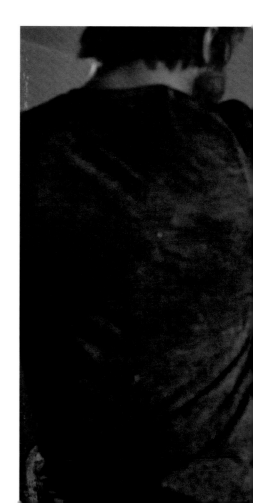

Elliott Schwartz. Ele disse isso para mim numa época em que ainda estávamos pensando na história, ainda nos estágios iniciais das discussões sobre os últimos episódios e plantou aquele pensamento em nossas cabeças: o que teria acontecido aos Schwartz? O que mais poderíamos fazer com eles? Fez com que a gente pensasse que talvez nós deveríamos vê-los novamente e descobrir como incorporá-los ainda mais à história. Eu queria dar ao Kevin o crédito pelo fato dos Schwartz fazerem parte do último episódio da série. Fico muito triste que ele não viveu para assistir aos oito episódios finais.

Já que os personagens estão sempre evoluindo, que mudança de personagem mais te surpreendeu no final da série?
Acho que foi Walt ter encontrado formas surpreendentes — surpreendentes para mim, pelo menos — de se redimir, ao menos um pouquinho. Isso não quer dizer que ele tenha se redimido completamente. Ele não poderia voltar atrás em relação às decisões que tomou; ele é mais vilão que herói no final. Mas me surpreendeu que ele ao menos tenha voltado parcialmente. Ele encontrou formas apaixonadas de acertar as pontas e reiniciar a partir do lugar que havia chegado. Eu estava tão

mal por ele ter se tornado tão escroto na última temporada. Eu não via a menor possibilidade de ele ser qualquer coisa senão um escroto. Foi um acontecimento feliz quando ele fez o retorno rumo à redenção. Ao encontrar tempo para mudar isso, ele conseguiu dar passos sólidos — e isso é alguma coisa. ⬣

Sinuca é um jogo para muitos jogadores e que pode ter uma morte súbita.

Fe lina | 5x16

Cenas do último episódio: a descrição gráfica da construção química é correta como uma mesa no Los Pollos Hermanos e uma metáfora para o arco narrativo de nossa memória, uma progressão de momentos agonizantes organizados, os degraus da evolução.

"FELINA", lista de filmagens do dia 6 e planos do diretor no interior do salão de jogos

Um outro modelo de progressão é o storyboard rascunhado que será transformado em sequência cinematográfica, com mudanças de luz, ação humana e expressões faciais sendo alteradas e apagadas. Você não consegue fazer um filme ou programa de TV sem planejar tudo com antecedência — e não ganhará vida a não ser que a cada último momento você assuma o risco de escapar do planejado e fazer algo diferente.

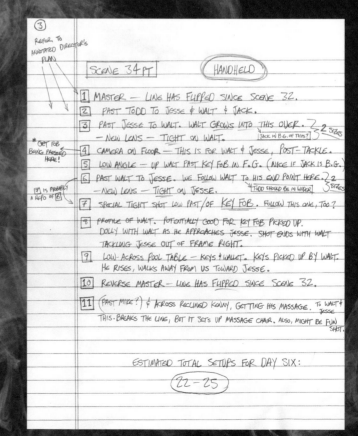

Cena 32 | **Lista de cenas**

Cena 34 | **Lista de equipamentos para serem usados nas cenas**

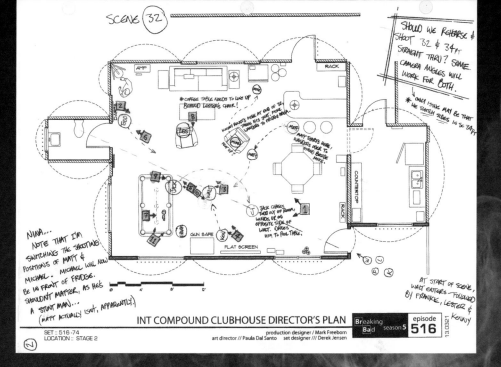

Cena 32 | **O plano do diretor**

Cena 34 | **Os equipamentos para o plano do diretor**

DECOMPONDO *BREAKING BAD*

02

"737 mil dólares, é o que eu preciso. É o que eu preciso. Nós dois pegamos 70 mil por semana. Isso quer dizer que são só dez semanas e meia. Que sejam onze. Mais onze negociações e sempre em lugares públicos. Dá pra conseguir. Com certeza, dá pra fazer."

| WALTER WHITE | 2x01 |

Tematicamente rica e simbolicamente densa, *Breaking Bad* respeita seu público e espera que ele encontre — e saboreie — os elementos que se entrelaçam em sua textura. Padrões visuais, alusões literárias e narrativas complexamente interligadas constroem uma série que recompensa a concentração focada e repetidas assistências.

Ação e reação

ara cada ação há uma reação igual e oposta: como na física newtoniana, assim também é em *Breaking Bad*. As ações de Walter White sempre tiveram consequências, mesmo que ele próprio fizesse vista grossa para o lado ruim daquilo que fazia. Mas se ele listasse prós e contras, o quadro geral ficaria muito claro...

Vince Gilligan, em entrevista ao *New York Times*, apresentou um dos grandes temas da série: toda ação tem uma reação. A história inteira se desdobra de uma única escolha: ao ser diagnosticado com câncer de pulmão terminal, Walter White escolhe cozinhar metanfetamina para prover estabilidade financeira para a família após sua morte. Essa única ação — essa decisão definitiva e intencional — desencadeia uma reação de uma série de eventos que lentamente se espalha por cinco temporadas, sem deixar ninguém ileso. Toda tentativa de Walt de controlar o submundo da metanfetamina com lógica e raciocínio calculados termina em fracasso: há tanto caos, tanta entropia, tanta imprevisibilidade (não é por acaso que o nome de guerra de Walt seja Heisenberg, nome do cientista cujo famoso princípio de incerteza mostrou que o mundo é, em seu nível fundamental, saturado com essa imprevisibilidade). Nós vemos quase sempre em *Breaking Bad* que não podemos prever com precisão toda a extensão dos efeitos que nossas escolhas terão.

Se pegarmos qualquer linha da história e a examinarmos, seguindo a sequência interligada de eventos relacionados a ela, veremos que esse princípio está ali, muito claro. Tudo que se precisa é tomar como ponto de partida uma simples decisão e seguir seus desdobramentos até sua conclusão lógica. Vamos, a título de exemplo, escolher um evento aparentemente inócuo, traçar as consequências que se derivaram dele, e ver até onde ele nos leva. No episódio 1x03, "... And the Bag's in the River", depois que Walt mente para Skyler dizendo que Jesse é seu traficante de maconha, Skyler compartilha isso com Marie e de uma forma meio enviesada pede por seu conselho.

À ESQUERDA: Por que Walt começa a usar um chapéu? Bem, ele quer esconder sua perda de cabelo, mas sonha em ser um cara como Dean Martin?

PÁGINAS ANTERIORES: Se você olhar para a TV bem de perto, poderá vislumbrar o seu próprio rosto refletido, um fantasma entre aqueles personagens ali. Nesta cena, Walter tem algo dessa existência em meia-vida. Mas um professor de química sabe sobre meias-vidas. [O conceito de meia-vida é dado como o tempo necessário para que metade do número de átomos de uma amostra de determinado isótopo radioativo se desintegre.]

Marie entende errado o que Skyler está dizendo e conclui que Junior está fumando maconha. Ela, então, manda Hank falar com o sobrinho para "ajeitá-lo no susto". Hank leva Junior ao Crossroads Motel (também conhecido como "Palácio de Cristal", um refúgio de viciados em droga), onde ele atormenta uma prostituta confusa, Wendy, que está indo trabalhar com Jesse no motel. Depois que Tuco toma um tiro, Wendy é apresentada como álibi para Jesse e mesmo se, eventualmente, ela ficasse tentada a ceder e contar tudo, Wendy se lembra de como Hank a tratou mal naquele dia e se cala.

Quando Tuco sequestra Walt e Jesse, Hank investiga o desaparecimento de Walt. De pista em pista, ele chega a Skyler que lhe conta a história de Jesse ter vendido maconha a Walt — presumidamente por causa de seu câncer. Hank passa a procurar Jesse por todos os lados, consegue uma pista e descobre que o carro tunado de Jesse é equipado com um dispositivo antirroubo que permite ser rastreado. Hank segue o sinal até o deserto e encontra Tuco sangrando por ter tomado um tiro. Há uma troca de tiros final, quando Hank mata o já ferido Tuco. Tio presencia tudo isso, e, como Wendy, recusa-se a colaborar com a investigação do DEA — de um jeito nojento e flatulento.

Mais tarde, outra pista liga Jesse a um trailer, um Fleetwood Bounder que Hank consegue rastrear como sendo da mãe de Combo — adquirido por Jesse no episódio piloto. Quando Walt descobre que Hank está vigiando a casa de Jesse na esperança de que ele o levasse ao trailer, tem início uma corrida para destruir o veículo antes que Hank o encontre. Walt chega no ferro-velho antes de Jesse e vai para o trailer. Depois da chegada de Jesse, Walt conduz Hank diretamente para o Fleetwood Bounder.

Encurralado, Walt só consegue pensar num ponto fraco que pode usar para distrair Hank: Marie. Walt liga para Saul e o instrui a ligar para Hank e dizer que Marie sofreu um acidente de carro e está sendo levada para um hospital por perto. Walt e Jesse se aproveitam dessa breve janela de oportunidade e destroem o trailer, sem deixar nenhum vestígio.

No hospital, a equipe não tem registro de nenhuma Marie Schrader. Quando Marie lhe telefona, ele logo percebe que foi enganado — ela está bem... e ele, furioso. Por enquanto, Walt pensou rápido e conseguiu escapar de Hank, mas ele não se livrou das consequências de suas mentiras, que em breve voltarão a se aninhar em sua casa.

Depois que Hank descobre que foi enganado para ser desviado do trailer e de seu suspeito, Jesse, ele vai até a casa dele fumegando de raiva. Quando chega, Jesse tenta espantá-lo dizendo para Hank: "Fale com meu advogado, Saul Goodman".

"Você tem meu número de celular!? Tem o nome da minha esposa!? Como fez pra conseguir isso!? Fala! Com que você trabalha!?"

HANK SCHRADER | 3x07

É como abanar uma capa vermelha em frente a um touro furioso: arrastar Marie para aquilo, fazendo-o se preocupar com a segurança de sua mulher, é mais do que ele pode digerir. Hank quer a cabeça de Jesse em uma bandeja de prata. Hank espanca Jesse, enquanto berra perguntas exigindo saber como ele conseguiu o número do seu celular, como sabe o nome de sua mulher. Hank só para quando Jesse está ensanguentado e inconsciente. Sentindo-se culpado, Hank chama uma ambulância para sua vítima.

Enquanto isso, os primos durões de Tuco estão vindo para o norte, direto do México, vingar sua morte. Quando Gus percebe que Walt pode ser útil em sua operação de metanfetamina, ele intervém, mandando os Primos irem para cima de Hank (que, na verdade, deu o tiro final que matou Tuco). Hank está suspenso temporariamente da polícia devido à sua briga selvagem com Jesse e tem de entregar seus distintivo e arma. Quando os Primos finalmente surgem para matá-lo, ele está desarmado, sem defesa e tem que sair da batalha armada com as mãos abanando, quase morto e com danos permanentes.

Os ferimentos de Hank, a morte dos Primos, o papel de Gus em tudo isso, bem como a dura raiva de Hank sobre Jesse e a de Skyler sobre Walt pelo que ela presume ser sua cumplicidade — tudo isso continua a transbordar, uma onda após a outra, enquanto a reação desencadeada lá atrás continua a propagar-se pela série de formas complexas e surpreendentes. Toda conversa é importante. Toda cena importa. Esse é um tema recorrente em *Breaking Bad*, a que seu criador Vince Gilligan se refere com frequência nas entrevistas.

A questão da escolha x acaso

Destino x livre-arbítrio. Escolha x acaso. A maioria dos personagens em *Breaking Bad* é destruída entre essas duas forças, sem resposta clara em relação a qual delas vencerá no final. Walt viverá livre... morrerá?

A clássica definição de tragédia é a obra que descreve a queda de uma grande pessoa, normalmente devido a uma inerente "falha trágica". Na tragédia, desde que se inicia, toda grandiosidade está prontamente destinada a ser abatida, mesmo que os personagens consigam subjugar seus destinos — e quase sempre batendo de frente nele (as tentativas desesperadas de Édipo de evitar a cama da mãe só servem para levá-lo justamente para lá, por exemplo). A tragédia de *Breaking Bad* examina a tensão entre o quanto a vida de cada um é governada pela escolha e quanto é pelo acaso.

A personagem de Lydia, por exemplo, é apresentada como contraste para Walt na quinta temporada. Fria e calculista, Lydia parece estar bastante em controle de seu destino: ela escolhe sem nenhuma dúvida entrar no lucrativo negócio da metanfetamina, completamente insensível ao custo humano. Ela tem sorte, no entanto, quando o implacável Mike escolhe deixá-la viver em vez de descartá-la em uma vala qualquer. Depois, negociando metilamina para permanecer viva, Lydia tem sorte novamente quando descobre os rastreadores do DEA presos aos barris de metilamina que estavam prestes a roubar, e salva todos da cadeia. Contudo, isso significa que ela não é mais útil à operação de metanfetamina, e sua vida passa a não ter valor novamente até que ela sugere um assalto a um trem cheio de todo o composto químico que eles precisam, para sempre. Walt cuidadosamente planeja um assalto com as informações de Lydia — um plano que não

envolve a morte de ninguém e que nem sequer será percebido. Tudo funciona bem, até que um garoto aparece na cena e toma um tiro. A escolha de Mike em deixar Lydia viver custou a vida de Drew Sharp? A escolha de Lydia em trabalhar com perigosos traficantes de metanfetamina provocou o assassinato ou isso estava simplesmente predestinado a acontecer? O mundo de *Breaking Bad* evita dar respostas fáceis às grandes questões filosóficas como essas, preferindo deixar as ponderações aos críticos e fãs.

ACIMA: Desde o momento em que ela aparece, veteranos do *noir* sabem que Lydia terá uma morte terrível — como se ela merecesse por ser tão esperta e tão atraente. Será que ela consegue sentir e prever seu destino?

PÁGINA AO LADO: Trolls sob a ponte, o assalto ao "Dead Freight" (5x05).

JESSE: Roubar metilamina de um trem é, tipo, um senhor golpe. O negócio é que ninguém além de nós pode saber que este assalto aconteceu. Ninguém. Entendeu?

TODD: Sim, claro.

WALTER: Você tem certeza?

TODD: Sim, senhor.

DEAD FREIGHT | 5x05

O chapéu parece cômico. É um chapéu de topo chato como o que Thelonious Monk usava, bem como Popeye em *Operação França*. E é um chapéu de caubói disfarçado, aquele que parece ter caído em sua cabeça como se viesse do céu. Era o chapéu do urso de pelúcia? Imagine rosa e preto.

Influências

Por mais original que *Breaking Bad* seja, ela segue uma linhagem de outros clássicos e iconoclastas do cinema e da televisão. As obras que influenciaram os roteiristas vão do sublime ao absurdo. Uma mistura gigantesca de gêneros diferentes, que passa pelo horror, pelos dramas policiais, westerns, romances de formação e até mesmo pelas histórias de super-heróis; *Breaking Bad* combina todos esses incomparáveis elementos juntos e o resultado é algo instigante e novo.

Gângsteres

Dramas policiais são uma fonte de inspiração visual e narrativa para *Breaking Bad*. *Operação França*, por exemplo, exerceu uma enorme influência. Não apenas o estilo câmera na mão, controlado, de cinema *verité* é uma homenagem ao filme, Walt chega a mencionar o filme nominalmente — ele diz esperar que Hank tenha a mesma sorte de seu herói, Popeye Doyle, que nunca prende ninguém no filme. Mas talvez a maior influência do gênero para a série seja *O Poderoso Chefão* e suas continuações. A história policial norte-americana quintessencial, a jornada de Walt ecoa a ascensão de Michael Corleone ao topo de sua família — de filho pródigo ao poderoso *capo di tutti capi*. A dinâmica entre Michael e sua mulher, Kay, especialmente quando ela começa a ter medo do marido e tenta afastar as crianças dele para protegê-las, proveu um modelo dramatúrgico

ao qual os roteiristas recorriam quase sempre quando construíam as cenas entre Walt e Skyler, especialmente nas últimas temporadas.

Finalmente, há a dita ambição de Vince Gilligan em fazer Walt passar de "Mr. Chips" (um amável professor do romance de 1934 *Adeus, Mr. Chips*, de James Hilton, que virou filme em 1939 e 1969) para "Scarface" (nesse caso, o remake que Brian de Palma fez do *Scarface* original de 1932 é a maior inspiração). *Scarface* projeta uma sombra tão grande sobre *Breaking Bad* que, no episódio 5x03, para enfatizar o horror de Skyler em relação ao homem que seu marido se tornou, os roteiristas escolheram incluir uma cena do filme. Walt e Junior se entendem enquanto o tiroteio sangrento e culminante do filme aparece na TV, e Skyler observa, horrorizada. Ela pode ver a trilha de violência esperando por seu marido e teme que seu filho siga o mesmo rumo caso ela não tome alguma iniciativa — Junior se tornará Michael Corleone, sugado para um sujo negócio de família que corrompe tudo que toca.

ABAIXO À ESQUERDA: Al Pacino, como o icônico Tony Montana, no filme de 1983 de Brian De Palma, *Scarface*. **ABAIXO À DIREITA:** Skyler segurando o bebê. O programa é bem complexo em relação às crianças: elas são o futuro — mas todos os planos de Walt para o futuro estão ativos no presente. Ele não estará lá para cuidar de Holly... o dinheiro substituirá isso?

O Oeste Selvagem

Breaking Bad costuma ser identificada como um faroeste moderno. Atravessando os extensos desertos do Sudoeste — do Novo México profundo à cidade fronteiriça de El Paso — a paisagem da série é tão mítica quanto as majestosas panorâmicas de John Ford. O legado do Oeste Selvagem encontra sua expressão na cultura fora da lei do mundo contemporâneo das gangues, indo de pseudônimos exagerados (Heisenberg) a canções que louvam figuras lendárias (como o *narcocorrido* "Negro y Azul"). Um dos primeiros filmes a contar uma história foi um western que se tornou um marco para um dos maiores e mais icônicos episódios de *Breaking Bad* — *O Grande Roubo do Trem*, de 1903 (a última cena, a mais famosa desse filme, serviu de referência para a cena final da terceira temporada, quando Jesse aponta sua arma em direção à câmera e atira em Gale).

Faroestes também se preocupam com tempo. A obra-prima de Sergio Leone de 1968 — *Era Uma Vez no Oeste* —, por exemplo, começa com um som compassado, enquanto uma gangue de capangas espera para matar o herói que chega no trem que está parado. Como o personagem de Charles Bronson (um qualquer sem nome), Walt tem pouco tempo no início da série, com um câncer esperando para derrubá-lo. A morte de Mike no episódio 5x07 homenageia ainda mais diretamente o filme de Leone: o bandido Cheyenne se torna um dos heróis do filme e sua morte lenta, depois de tomar um tiro, tem muita semelhança com a de Mike. O barulhento cata-vento pelo qual Mike e Jesse passam por ele no episódio 4x05 também foi inspirado nas cenas iniciais do filme de Leone, em que os sons da estação de trem — o velho cata-vento, a mosca que zumbe (outro elemento recorrente no programa) — se tornam a trilha sonora para a cena.

Como todos os westerns, *Breaking Bad* também se move num ritmo mais próximo ao dos mitos do que o de uma série naturalista; os eventos parecem acontecer num eterno presente, com a maioria dos marcadores de dias, meses e

ABAIXO DA ESQUERDA PARA A DIREITA: O ator Justin D. Barnes mira sua arma na última cena de *O Grande Roubo do Trem* e Jesse assume a posição em "Full Measure" (3x13). TV e cinema são mecanismos *aim-and-shoot* [apontar-e-atirar]. Antes de todos nós termos armas, as telas atiravam na gente. E agora parece natural que atiremos de volta.

PÁGINA AO LADO: A história narrada nas telas é a de tiro ao alvo. Mas cada tiro tem endereço certo. Abaixo, Mike e Jesse num momento era uma vez no Oeste, em "Shotgun" (4x05); no alto, o momento final de Mike em "Say My Name" (5x07): "Cale a porra da sua boca e me deixa morrer em paz".

anos apagados (às vezes literalmente: se eram encontrados elementos nas cenas que entregavam a data em que as cenas foram filmadas, eles quase sempre apagavam digitalmente para preservar a sensação atemporal do programa). Assim, o único ano da vida de Walt que percorre do piloto até o episódio "Fifty One" estica-se lentamente para os espectadores pelo curso de cinco temporadas na televisão. Isso permite que toda reviravolta e mudança aconteçam em um tempo desconhecido na narrativa serializada — foram necessários cinco vezes mais tempo para contar a história de Walt do que ele levou para vivê-la. Walt se torna uma figura tão lendária quanto o "Homem sem Nome" de Leone ou o implacável Ethan Edwards em *Rastros de Ódio* — homens cujo ímpeto de superar seus obstáculos é tão forte que nem mesmo o tempo pode detê-los.

Comédia

O sinistro humor negro de *Breaking Bad* também atravessa toda a série, então não surpreende que comédias sejam uma grande fonte de inspiração para os roteiristas e produtores. Comédias sombrias como *Fargo* (que inspirou o título do episódio 1x07, "A No-Rough-Stuff-Type Deal") e até mesmo outras fontes óbvias e mais leves de humor animam a série — incluindo aparições breves dos Três Patetas. Vince Gilligan quase sempre fala da necessidade de incluir elementos cômicos para impedir o tema pesado e sombrio de se tornar monótono ou insuportavelmente sem vida.

Além da sensibilidade para a comédia, a série também se tornou bem conhecida por escalar atores cômicos contra os estereótipos e deixá-los flexionar seus músculos dramáticos. Antes de *Breaking Bad*, o papel mais conhecido de Bryan Cranston era na comédia *Malcolm*, como o azarado pai Hal, e ele também aparecia em *Seinfeld* como o dentista Tim Whatley. Na verdade, Cranston era uma figura tão conhecida por suas interpretações em comédias que inicialmente os executivos do estúdio e da emissora questionaram se o público o aprovaria em um papel tão sombrio quanto o de Walter White. Bob Odenkirk também tem uma longa e conhecida carreira como comediante *stand-up*, redator em programas cômicos (*Saturday Night Live*, *The Ben Stiller Show* etc.) e cocriador do hilário *Mr. Show*. Saul Goodman, seu personagem, poderia tranquilamente derivar para o lado palhaço, mas Odenkirk usa bordões e bordoadas com a mesma fleuma (seu confronto com Walt no episódio 5x01 é um ponto alto da série). Ambos os capangas de Saul — Huell e Kuby — são interpretados por comediantes *stand-up* (Lavell Crawford e Bill Burr, respectivamente) e Badger, amigo de Jesse (vivido por Matt Jones), também é interpretado por um comediante. Enquanto o assunto do programa é decididamente sério, na sombria sinfonia de *Breaking Bad*, os elementos e atores cômicos fornecem um leve contraponto.

ABAIXO À ESQUERDA: Saul é um cinéfilo apaixonado. Ele ama o drama. Então nós passeamos por tiroteios e nos reclinamos na glória louca de camas de dinheiro.

ABAIXO À DIREITA: A piada *stand-up* de Badger: "Já te contei sobre meu roteiro para *Jornada nas Estrelas*?... A *Enterprise* está fora do Rigel 12 por cinco *parsecs*. Nada acontece, a Zona Neutra está tranquila, a equipe está entediada e aí eles inventam uma competição para ver quem come mais torta... Eles comem tortas de tulaberry... Do quadrante gama, meu!"

SAUL: Sabe, esse menino Mayhew pode ter sido o primeiro de vocês a ser pego, mas ele não vai ser o último. E se eu consigo te encontrar, o quão longe você acha que os policiais estão?

WALTER: Eu não entendo. O que exatamente você está me oferecendo?

SAUL: O que Tom Hagen fez pra Vito Corleone?

WALTER: Eu não sou Vito Corleone.

SAUL: Não me diga! Agora você é só o Fredo. Mas, você sabe, com alguma orientação adequada e as pessoas certas, quem sabe? Vou te dizer uma coisa: você tem o produto certo. Qualquer coisa que faça os maricas do DEA aparecerem em bando mostra que você está lidando com algo especial. E eu queria ser uma parte pequena e discreta disso. Só uma coisa pra você pensar, sacou? Então se você quiser ganhar mais dinheiro e manter o dinheiro que você ganhar, é melhor chamar o Saul!

BETTER CALL SAUL | 2x08

Influências dos personagens

Em uma entrevista exclusiva, Vince Gilligan descreve, em duas frases ou menos, os principais personagens do programa. Às vezes uma única frase resume — acrescente um bom escritor e o rosto certo e você tem o começo de um romance.

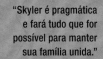

"Skyler é pragmática e fará tudo que for possível para manter sua família unida."

"Jesse é um líder que acha que é um seguidor."

"Walter White é um homem brilhante e um excelente mentiroso, que mente melhor para si mesmo."

"Walter Jr. é o bom filho que, infelizmente, Walt parece amar menos do que seu filho pródigo Jesse."

"Hank é um investigador obstinado que vai ficar completamente desapontado quando descobrir quem ele tem perseguido por todo esse tempo."

"Marie é uma irmã amável e uma cunhada que tem lá seus defeitos, mas tem um bom coração."

"Gus é um construtor de impérios e uma grande inspiração e motivação para Walter White — mesmo que Walt não admita isso."

"Mike é um cara que sabe que perdeu um bom pedaço de sua alma e parece triste e cansado do mundo por causa disso. Mas ele continua mesmo assim, porque conhece bem suas forças e suas fraquezas."

"Saul Goodman é como uma barata — mesmo depois que o apocalipse chegar ele vai dar um jeito de sobreviver."

2x02

Decompondo os títulos dos episódios

O mundo de *Breaking Bad* é repleto de brincadeiras com significados e temas escondidos; os títulos dos episódios não são exceção a essa regra.

PRIMEIRA TEMPORADA

1x01 | PILOT

Este episódio é chamado simplesmente de "Pilot".

1x02 | CAT'S IN THE BAG...

1x03 | ...AND THE BAG'S IN THE RIVER

Ambos episódios — "The Cat's in the Bag..." e "...And the Bag's in the River" ["O gato está no saco..." e "...o saco está no rio"] — têm seu título coletivo retirado do filme de 1957 *A Embriaguez do Sucesso* [musical dirigido por Alexander Mackendrick]. O filme conta a história de um poderoso colunista de Nova York que tenta evitar que sua irmã se case com um músico de jazz. A frase é usada no filme quando um personagem, Sidney Falco [Tony Curtis], reafirma ao colunista J.J. Hunsecker [Burt Lancaster] que ele cuidou do trabalho sujo e tudo está sob controle. Os episódios 1x02 e 1x03 são sobre as dificuldades inesperadas que Jesse e Walt encontram ao tentar limpar a bagunça que fizeram com Emilio e Krazy-8. Enquanto o título expressa uma confiança um pouco cômica e um pouco sombria sobre o trabalho sujo sendo feito sem levantar suspeitas, aqui os personagens só se metem em complicação atrás de complicação, problema atrás de problema.

1x04 | CANCER MAN

O título do episódio "Cancer Man" [canceroso] é uma volta aos dias de *Arquivo X* de Vince Gilligan, série em que trabalhou entre 1995 e 2002. O Canceroso ou Fumante era um vilão infame que aparecia das sombras em vários episódios — fumando seus intermináveis Morleys e trabalhando dentro do FBI para derrubar os heróis Mulder e Scully. Vince achou o título adequado para o novo papel de vilão de Walter White e também para um homem lidando com sua nova batalha contra o câncer.

1x05 | GRAY MATTER

O título "Gray Matter" [massa cinzenta] tem camadas de significado. Somos apresentados a Elliott e Gretchen Schwartz, donos da multibilionária organização Gray Matter Industries. Ficamos sabendo que Walt ajudou a fundar a empresa enquanto estava na universidade, mas vendeu sua parte para os Schwartz. Juntando o sobrenome de Walt (White, "branco") ao dos Schwartz (que quer dizer "preto" em alemão), eles tiveram a ideia para o nome Gray Matter. Quando Elliott lhe oferece uma chance para voltar à empresa — que Skyler orquestrou para pagar o tratamento do marido —, Walt se refreia ao pensar em "caridade". Ele é pego em uma zona cinzenta entre a atração da independência financeira e a ilegalidade de fabricar drogas. Acima de tudo, há a mais poderosa massa cinzenta: o cérebro de Walt, que lhe dá uma inteligência quase sobre-humana... que, por sua vez, lhe dá o poder para cometer crimes abomináveis.

1x06 | CRAZY HANDFUL OF NOTHIN'

O título "Um punhado maluco de nada" foi escolhido pelo autor desse episódio, George Mastras. É uma referência ao filme de 1967 *Rebeldia Indomável* [Stuart Rosenberg]. No filme, um homem se recusa a se submeter ao sistema em uma cadeia. Neste episódio, também Walt encontra suas reservas interiores de energia e mostra que nada vai detê-lo antes que ele consiga o que quer.

1x07 | A NO-ROUGH-STUFF-TYPE DEAL

Esse título foi escolhido por Peter Gould. É uma referência ao filme *Fargo* [Joel Coen], de 1996. No filme, Jerry Lundegaard tenta cobrir o desfalque da loja de carros do sogro. Arrumando esquema atrás de esquema, ele acaba transformando o que achava que seria uma solução não violenta em um banho de sangue. Ao achar que ele pode tornar o mundo da metanfetamina um negócio seguro e racional, Walt tem um brusco despertar ao descobrir em primeira mão o que um "acordo barra-pesada" realmente é.

SEGUNDA TEMPORADA

2x01 | SEVEN THIRTY-SEVEN

Depois que seu acordo com Tuco se torna violento, Walt faz uma matemática rápida em sua cabeça. Ele percebe que para deixar sua família estável depois que ele morrer, ele deve ganhar 737 mil dólares (o título também se conecta com outros da temporada).

2x02 | GRILLED

Como em outros títulos, esse [grelhado] tem múltiplas conotações. Faz referência ao "grill" de ouro na boca de Tuco; a carne que Tuco grelha para comer (e o fato de Walt e Jesse estarem fritos) e a "grelha" figurativa em que Hank coloca a mãe de Jesse enquanto busca por seu filho.

1x01

1x02

1x04

2x03 | BIT BY A DEAD BEE

Esse título foi escolhido pelo autor do episódio, Peter Gould, e é uma homenagem a frase do filme de 1944, *Uma Aventura na Martinica* [Howard Hawks].

2x04 | DOWN

Os personagens centrais estão em um ponto baixo neste episódio — Jesse é expulso de casa e Walt encara a tensão em seu casamento (o título se conecta com vários outros nesta temporada).

2x05 | BREAKAGE

Tanto sobre o termo de contabilidade que Walt e Jesse usam para descrever o roubo do dinheiro e da metanfetamina de Skinny Pete, "Breakage" [indenização] se refere ao ponto em que Walt luta pelos centavos, por qualquer dinheiro — ele está duro de verdade.

2x06 | PEEKABOO

Jesse, seguindo ordens de Walt, deve "resolver" uma situação em que um de seus traficantes de rua, Skinny Pete, é assaltado por dois viciados. Depois que Jesse invade a casa deles com planos de colocá-los sob a mira de sua arma, ele descobre um menino vivendo no meio da sujeira. Eles brincam de "Achou!" [Peekaboo] e Jesse faz comida para o menino. O título "Peekaboo" é sobre o impacto daquela relação tanto quanto sobre o próprio jogo, em que coisas escondidas de repente vêm para a luz.

2x07 | NEGRO Y AZUL

Do espanhol, o título combina o preto que Walt usa quando se transforma em Heisenberg com o azul da pedra que se tornou sua assinatura. Não tão coincidentemente, os dois juntos são "preto e azul" — uma gíria para escoriações.

2x08 | BETTER CALL SAUL

Aqui somos apresentados ao advogado porta de cadeia de Walt e Jesse, Saul Goodman. Quando Badger, um dos traficantes de rua de Jesse, é pego em um parque, eles têm que pensar rapidamente antes que ele os dedure para o DEA ou outros agentes da Narcóticos. Como Jesse diz: "Sério, quando as coisas ficam pesadas, você não vai querer um advogado criminalista, você quer um advogado *criminoso*".

2x09 | 4 DAYS OUT

Os roteiristas homenageiam o livro de 1964 (e o filme de 1965 com o mesmo nome) *O Voo da Fênix*, em que sobreviventes de um acidente de avião no deserto do Saara têm que construir um avião menor a partir dos destroços. O título se refere à quantidade de tempo que Walt e Jesse passaram presos no trailer no deserto do Novo México depois que sua bateria morre (Walt pensa num plano para construir uma nova bateria a partir do material que tem à mão). Também, em produção de televisão, o número de "day out" por episódio refere-se ao número de dias em que a equipe de filmagem não está no estúdio e sim gravando em locação — para *Breaking Bad*, quatro dias fora seria metade do número normal de dias de filmagem para um único episódio.

2x10 | OVER

Neste episódio de título irônico, Walt passa a maior parte do tempo debaixo de sua casa, lidando com coisas podres (o título também se conecta outros títulos desta temporada).

2x11 | MANDALA

Uma mandala é um objeto sagrado de meditação na filosofia budista. Quer dizer "círculo" em sânscrito e se refere à "roda da vida" — aqui, o círculo começa com a morte de Combo e se completa com Skyler trazendo uma nova vida ao mundo no final do episódio.

2x12 | PHOENIX

Como uma mandala mais violenta, o mito da fênix também faz referência a ciclos. Nesse caso é a história de uma ave que se imola em seu ninho, apenas para renascer das cinzas. Não apenas Jane nasceu em Phoenix, Arizona, o título também se refere ao renascimento de Walter como Heisenberg, construído a partir da morte de Jane (que ele permite que aconteça) — custando-lhe outro pedaço de sua alma.

2x13 | ABQ

No último episódio da segunda temporada, nós finalmente testemunhamos o auge dos *teasers* que aparecem ao longo da temporada: uma colisão aérea — entre um Boeing 737 (o voo Wayfarer 515) e um avião fretado — sobre Albuquerque (ou ABQ, como é coloquialmente referida).

NOTA: Quando colocados juntos, os títulos dos episódios 2x01, 2x04, 2x10 e 2x13 podem ser lidos como "Seven Thirty Seven... Down... Over... ABQ". Enquanto cada título de episódio tem seu significado próprio, juntos eles soletram quase que exatamente o impacto horrível das escolhas de Walt [737 cai sobre Albuquerque].

TERCEIRA TEMPORADA

3x01 | NO MAS

Lutando com a culpa da morte de Jane — e causando sem saber o acidente do Wayfarer 515 — Walt está pronto para sair do negócio das drogas; "*no mas*" em espanhol quer dizer "nunca mais". Skyler também chegou a um ponto de virada, quando confronta Walt e vai direto ao assunto acabando com as mentiras e encarando a verdade: "Você é um traficante de drogas".

3x02 | CABALLO SIN NOMBRE

"*Caballo Sin Nombre*" é a tradução para o espanhol do título de um grande sucesso de 1972 gravado pelo grupo America, "Horse With No Name" [cavalo sem nome]. Quando o episódio começa, Walter está atravessando uma estrada no Novo México aparentemente absorvido na

2x07

2x11

2x13

música enquanto cantarola baixinho. Vince Gilligan havia originalmente escolhido "Southern Cross", de Crosby, Stills & Nash. Depois de brigar para conseguir os direitos para usar a música no programa, o supervisor musical Thomas Golubic′ e os roteiristas preferiram o sucesso do America. É uma escolha adequada para um homem da classe média demográfica de Walt e sua letra captura seu espírito desenraizado enquanto ele atravessa o deserto do Sudoeste, não mais preso à sua família ou ao seu negócio ilícito.

3x03 | I.F.T.

Walt decide que é hora de voltar a morar com sua família, apesar da firme resistência de Skyler. Em uma tentativa desesperada de causar o mesmo tanto de estresse para Walt que Walt causou a ela, Skyler dorme com o chefe e diz tranquilamente para Walt: "I Fucked Ted" [eu trepei com Ted] — I.F.T.

3x04 | GREEN LIGHT

Luz vermelha: pare. Luz verde (*green light*): vai, vai, vai! Gus põe mais e mais pressão para Walt voltar aos negócios. No final do episódio, Walt para em frente a um sinal vermelho e de repente recebe uma enorme quantidade de dinheiro — sua "metade" do dinheiro que Jesse ganhou ao vender para Gus uma fornada de sua famosa metanfetamina azul. Enquanto Walt fica ali, sentado, encolhido, o carro atrás dele começa a buzinar para que ele ande, pois o sinal abriu, está verde. O universo, aparentemente, está lhe dizendo para voltar a cozinhar metanfetamina.

3x05 | MAS

Walt encontra-se com Gus Fring novamente e é apresentado ao superlaboratório. Depois de um discurso extremamente convincente do aparentemente contido e profissional Gus, ele é tentado a voltar a cozinhar. O título do episódio "Mas" inverte e desfaz o primeiro da temporada, "No Mas": é hora de cozinhar mais metanfetamina.

3x06 | SUNSET

Os Primos chegam ao Los Pollos Hermanos e sentam-se por horas até Gus se aproximar deles e dizer apenas uma palavra: "Sunset" [pôr do sol]. No crepúsculo, Gus encontra os Primos no deserto e desvia sua atenção assassina de Walt, dando-lhes permissão para que matem Hank em seu lugar.

3x07 | ONE MINUTE

Sem o seu distintivo e sua arma, Hank é suspenso temporariamente depois de surrar Jesse. Passeando pelo shopping, ele recebe uma ligação anônima que o avisa de que alguém está indo em sua direção e deve chegar em um minuto. Um exato minuto se passa entre a ligação de Hank e o brutal ataque dos Primos.

3x08 | I SEE YOU

No desenrolar do tiroteio em "One Minute", a família White corre para o hospital para fazer uma vigília para Hank. Esse título brinca com a sigla em inglês I.C.U. (para Unidade de Terapia Intensiva), que é onde se passa a maior parte do episódio. Ele também brinca com a ideia de revelações: o Primo solitário que sobreviveu levantando-se de sua cama para caçar Walt; Gus revelando que ele já sabia que Hank era agente do DEA; Walt admitindo que Hank é um homem melhor do que ele jamais será. À luz da tragédia os personagens conseguem ver uns aos outros — e a si mesmos — mais claramente.

3x09 | KAFKAESQUE

Em uma reunião dos Narcóticos Anônimos, Jesse descreve seu trabalho no superlaboratório — um trabalho interminável ligado aos caprichos e horários de outra pessoa. O líder do grupo menciona que a situação soa "kafkiana" — no sentido de ser um pesadelo burocrático. Jesse gosta tanto do som da palavra que ele começa a usá-la, mesmo que incorretamente.

3x10 | FLY

"Fly" [mosca] é um "episódio garrafa",[1] filmado quase inteiramente em um set: o superlaboratório. A natureza melindrosa de Walt entra em parafuso, fazendo com que ele fique obcecado pelo controle do laboratório daquilo que ele considera um "enorme problema" — uma única mosca. Enquanto sua psique se desalinha ao tentar matar o inseto, Walt é desnudado e conta a Jesse que ele já viveu demais e perdeu o tempo perfeito para morrer.

3x11 | ABIQUIU

O título se refere à cidade de Abiquiu, Novo México, onde Georgia O'Keeffe viveu e trabalhou por trinta anos (também é um homônimo de "ABQ", o título do episódio 2x13). O trabalho de Georgia O'Keeffe foi introduzido na série quando Jane sugeriu que ela e Jesse visitassem o museu de O'Keeffe no episódio "4 Days Out". Aqui, os personagens debatem o verdadeiro significado pretendido pela artista em sua obra.

3x12 | HALF MEASURES

Em "Half Measures" [meias medidas] Mike conta a Walt uma história de seu passado como policial patrulheiro. Ele recorda um caso de violência doméstica que aconteceu anos atrás, em que o marido abusava da mulher toda semana, mas ela nunca prestava queixa. Até que, depois de ter passado por isso inúmeras vezes, Mike ameaça o cara e o faz jurar que nunca mais tocará na esposa. Duas semanas depois, o homem matou a mulher. A moral da história é que ele escolheu tomar uma atitude pela metade e que nunca mais cometerá esse erro de novo. A mensagem é clara: ou Walt trabalha para Gus ou protege Jesse. Ainda que o mais provável fosse que Walt

1 Episódio produzido de forma econômica e restrita para usar poucos atores extras, efeitos e cenários. Em geral, são filmados em cenários já construídos para outros episódios e consistem sobretudo de diálogos ou cenas para as quais não são necessárias preparações especiais. [NT]

3x01

3x03

3x07

3x13

4x07

4x13

ficasse do lado de Gus, quando o negócio fica feio, Walt escolhe Jesse, salvando-o de uma morte certa das mãos de dois traficantes.

3x13 | FULL MEASURE

Capturado por Mike e Victor, Walt não tem outra alternativa a não ser cometer outro ato desesperado e mandar Jesse matar Gale. O título ["medida completa"] brinca com as "meias medidas" do episódio anterior. Jesse e Walt agora apostaram tudo. A única forma de sair é continuando dentro.

QUARTA TEMPORADA

4x01 | BOX CUTTER

O abridor de caixas útil e rotineiro é visto duas vezes no episódio que leva seu nome: primeiro, enquanto Gale abre caixas, desempacotando o equipamento para construir o superlaboratório e, depois, quando Gus corta a garganta de Victor deixando-o sangrar até morrer como uma lição para Walt e Jesse.

4x02 | THIRTY-EIGHT SNUB

Walt compra um revólver sem identificação de um traficante do submundo: é seu primeiro movimento em toda a temporada para matar seu empregador/opressor Gus Fring.

4x03 | OPEN HOUSE

Marie vai a uma série de eventos de corretoras que abrem para visitação de casas à venda. Ela se faz passar por diferentes pessoas e rouba pequenos itens. É sua forma de lidar com o temperamento explosivo de Hank no processo de recuperação. Ao mesmo tempo, Jesse transforma sua casa em uma festa aberta 24 horas com suprimento ininterrupto de drogas.

4x04 | BULLET POINTS

Um jogo de palavras, o título se refere aos furos atravessados pela luz na traseira metralhada do caminhão-refrigerador do Los Pollos Hermanos e para a armação fictícia de Skyler sobre a jogatina de Walt — prestativamente dissecada em itens [bullet points] para Walt memorizar.

4x05 | SHOTGUN

A longa jornada de Jesse ao lado de Mike é capturada no título deste episódio, nessa expressão que é uma gíria para o banco do carona. Também evoca a reviravolta violenta que essa viagem toma quando pistoleiros armados atacam e Jesse "salva" o dia.

4x06 | CORNERED

Encurralada em um canto figurado — casada com um cozinheiro de metanfetamina, sem conseguir manter sua família a salvo — Skyler faz uma viagem a Four Corners [monumento na fronteira dos estados Novo México, Colorado, Utah e Arizona] para ver se um cara ou coroa pode lhe ajudar a tomar uma decisão sobre o que fazer com sua vida. Quando a moeda cai no Colorado, ela toma o controle de seu destino e faz a volta para o Novo México — como Walt, ela está comprometida com seu curso agora.

4x07 | PROBLEM DOG

Jesse conta uma história na reunião do Narcóticos Anônimos sobre um "cachorro problema" que ele precisa sacrificar — que não estava doente nem era perigoso, mas apenas inconveniente. É sua forma de finalmente se livrar do peso da culpa pelo assassinato de Gale. Mas quando o grupo não consegue lhe tirar essa responsabilidade, ele se enfurece e acaba dizendo que vê todos ali como meros clientes: ele se pune fechando o único porto seguro que esteve aberto para ele.

4x08 | HERMANOS

O título explica os "Hermanos" em "Los Pollos Hermanos" — Gus certa vez teve um parceiro de quem era muito próximo e que cozinhava para ele no México, em sua primeira incursão neste negócio. Esse amigo foi morto diante de seus olhos e isso consolida seu ódio contra o cartel e particularmente contra Tio. Família, como disse Tio certa vez, é tudo, e o ex-parceiro de Gus era um irmão.

4x09 | BUG

Paranoia e jogo duplo marcam um episódio em que todos espiam a todos: mesmo com Mike no encalço de Walt, Hank o convence a colocar um rastreador — um bug — no carro de Gus. É um gesto que Walt deve confessar imediatamente a Gus ou então coloca em risco toda sua família.

4x10 | SALUD

Uma saudação tradicional em espanhol, "salud" pode ser traduzido como "saúde". Sem ter como entrar com uma arma ou uma bomba na fortaleza do cartel, Gus termina sua guerra com Don Eladio ao fazer o impensável: ele se envenena para matar seus inimigos. Don Eladio não percebe quão gravemente ele subestimou Gus até ser tarde demais — bem depois do brinde com a tequila envenenada, "Salud!".

4x11 | CRAWL SPACE

Depois de estar repetidamente por um fio e de escapar por muito pouco mais de uma vez, Walt finalmente parece ter encontrado seu Waterloo — não num tiroteio dramático ou numa perseguição de carros, mas debaixo de sua casa, no porão de teto baixo [o "crawl space" do título] onde ele escondia seu dinheiro. Quando Walt vai buscar suas economias ocultas para pagar o "desaparecedor" que realocaria toda sua família, ele descobre que todo dinheiro se foi — usado para pagar a dívida de Ted com o Imposto de Renda e manter Skyler a salvo da investigação. Quando Walt entende a gravidade da situação, tudo que ele pode fazer é rir… e rir… e rir… como um maníaco.

4x12 | END TIMES

Quando Walt avisa o DEA que Hank está em perigo, ele declara guerra aberta contra Gus. Infelizmente, Walt achou que estaria bem longe dali quando isso acontecesse. Agora, preso em ABQ com os capangas de Gus à sua procura para eliminá-lo, Walt visita Saul, que resume o iminente Armagedom em sua típica fleuma, ao dizer que "é o fim dos tempos". É um sentimento apocalíptico, mas que combina com o tom do episódio à medida que a temporada corre em direção à sua conclusão.

4x13 | FACE OFF

Ao saber como o episódio terminaria — com a cara de Gus estourada — a então executiva da AMC Susan Goldberg sugeriu o título como um trocadilho sobre o confronto final entre Walt e Gus [com um aceno discreto para Face/Off, filme de John Woo de 1997 sobre troca de rostos. No Brasil, A Outra Face]. Ironicamente, apesar de Walt conseguir ser bem-sucedido em matar Gus neste episódio, ele o faz à distância com Tio agindo como seu cúmplice, de forma que ele e sua nêmesis nunca realmente se enfrentam cara a cara.

QUINTA TEMPORADA

5x01 | LIVE FREE OR DIE

No teaser deste episódio, Walt aparece no que parece ser um flashforward: de barba, não está mais careca, mais frágil que antes. O carro que ele dirige tem uma placa de New Hampshire estampada com o lema do estado: "Viva livre ou morra" [o nome do episódio em inglês]. A história de Walt ecoa essa escolha básica: a sentença de morte de seu câncer o forçou a reavaliar sua vida e a tentar algo desesperado para viver em liberdade

— livre das restrições de sua vida obediente à lei. Enquanto romper com tudo talvez não fosse o que a maioria das pessoas faria, a liberdade da vida criminosa se tornou o único remédio para Walt.

5x02 | MADRIGAL

Uma forma musical polifônica do início do Barroco caracterizada por arranjos quase sempre ousados, o madrigal é a inspiração para o nome da Madrigal Electromotive, um conglomerado multinacional que anteriormente esteve associado a Gus. Mencionado de passagem em temporadas anteriores, a corporação aparece neste episódio pela primeira vez.

5x03 | HAZARD PAY

Para garantir que seus funcionários não os entregassem aos agentes da lei, Mike e Gus desenvolveram um sistema que incluía o pagamento do que chamavam de adicional de periculosidade ["*hazard pay*", em inglês] —; no caso de serem presos, uma quantia extra era destinada aos homens e, contanto que ficassem calados, receberiam o dinheiro tão logo saíssem da cadeia. Walt se irrita com os pagamentos — ele ganha menos trabalhando sozinho do que quando trabalhava com Gus. Ao pegar uma porcentagem do dinheiro de Walt para fazer esses pagamentos, Mike cutuca o lado ruim de Walt... que é um perigo para a saúde de qualquer um.

5x04 | FIFTY-ONE

Este é o 50º episódio da série: o número do título [51] refere-se ao aniversário de 51 anos de Walt. Como sabemos que ele celebrou seu aniversário de 50 anos no piloto, este episódio marca um ano completo no tempo narrativo, mas é o terceiro aniversário que nós o vemos observar (seu 52º aparece no *teaser* em *flashforward* do episódio 5x01).

5x05 | DEAD FREIGHT

Esse ["frete morto"] é um termo técnico dado para a quantidade de espaço não utilizado em determinado carregamento. Mesmo o espaço estando vazio, a empresa que pagou pela carga é responsável (ela deve pagar o custo de não preencher toda a capacidade do transporte). Nesse caso, o título se refere à morte da criança testemunha do assalto ao trem, Drew Sharp — Walt e Jesse são responsáveis (moral e legalmente) por sua morte.

5x06 | BUYOUT

Depois do incidente com Drew Sharp durante o assalto ao trem, nem Jesse nem Mike têm estômago para continuar. Mike arma um acordo com Declan, um rival, para vender sua parte da metilamina roubada — um negócio que Walt quer anular a qualquer custo.

5x07 | SAY MY NAME

Para se livrar de Mike sem arriscar sofrer retaliação, Walt convence Declan a se tornar seu distribuidor e concorda em fazer um adiantamento a Mike como pagamento pela sua cota da metilamina. Com aparente vantagem, Walt usa a única coisa que sabe que vai meter medo: seu nome. Ele exige: "Diga meu nome", e quando Declan o obedece, fica claro que ninguém pode resistir à vontade diabólica de Heisenberg.

5x08 | GLINDING OVER ALL

Este é o título de um curto poema de *Folhas da Relva*, de Walt Whitman. Os roteiristas escolheram esse poema da obra-prima de Whitman porque ele reflete o novo problema de Walt: com todos os seus inimigos eliminados, ele é o mestre e comandante, pairando sobre toda superfície de sua vida, inatingível. Mas com o fim do conflito que deu sentido à sua vida — sua serenidade torna-se ela mesma

um problema... Até que Hank descobre um exemplar de *Folhas da Relva*, na casa de Walt, com a dedicatória assinada por Gale: "Ao meu outro W.W. favorito. É uma honra trabalhar com você. Afetuosamente, G.B.".

5x09 | BLOOD MONEY

Todo centavo que Walt e Jesse ganharam no negócio de metanfetamina veio a custo de sangue, direta ou indiretamente. Quando começam os últimos episódios, Walt está sentado em uma pilha de seus ganhos ilícitos (como vimos no episódio 5x08) e fora dos negócios. Enquanto Walt parece satisfeito (sem saber que naquele instante Hank começava a sentir o cheiro de seus crimes), o pagamento que Walt entregou no episódio anterior começou a queimar no bolso de Jesse. Ao sentir que era "dinheiro sujo de sangue" pago para mantê-lo quieto sobre Drew Sharp e, como ele intui, pelo assassinato de Mike, Jesse tenta se livrar do dinheiro para limpar o sangue de suas mãos.

5x10 | BURIED

Muito obviamente o título ["enterrado"] refere-se aos 80 milhões de dólares que Walt enterra no deserto, para evitar que essa forte prova que ainda o ligaria às atividades criminais caísse nas mãos de Hank. Num nível menos literal, também se refere a Skyler, que decide, diante do câncer de Walt, enterrar seus sentimentos e manter solidariedade a ele para que possam proteger o mínimo de normalidade que restou à família. Finalmente, o título brinca com a nova situação no mundo da metanfetamina, com os restos do laboratório de Walt enterrados em um ônibus nojento em algum lugar do deserto.

5x11 | CONFESSIONS

Com a pressão se acumulando, muitas duras verdades — e umas poucas mentiras ainda mais duras — reaparecem na superfície

5x04

5x08

5x09

como confissões neste episódio. Se confissões normalmente são boas para a alma, nas mãos de Walt são apenas outra arma. Para assustar Hank a se afastar do caso, Walt grava uma falsa confissão em que ele admite suas atividades criminosas... mas diz que Hank é o verdadeiro chefão que forçou Walt a cozinhar sob ameaça de violência. O único ponto de verdade — que Walt pagou pela fisioterapia de Hank — força Marie a confessar que ela, na verdade, aceitou o dinheiro que agora ela vê com clareza o quanto era podre. Finalmente, depois de Jesse resistir ao interrogatório de Hank, a verdade finalmente lhe acerta quando ele percebe que Walt envenenou Brock. Invadindo o escritório de Saul como um touro em uma loja de porcelanas, Jesse surra o advogado até que ele admite sua cumplicidade no esquema da ricina. Cada confissão abala uma mentira duradoura em uma reação em cadeia, deixando apenas pedaços quebrados no final, enquanto Jesse invade a casa dos White para atear fogo.

5x12 | **RABID DOG**

Escrito e dirigido por Sam Catlin, este episódio brinca com o título do episódio 4x07, "Problem Dog". Naquele episódio, Jesse se refere a Gale como um "cachorro problema" — que não está doente nem é perigoso, e sim inconveniente de um jeito que é necessário abatê-lo. Aqui, Jesse se tornou tudo que Gale não era: decididamente perigoso e vindo para pegar Walt. Raivoso ["*rabid*", em inglês]. E só há uma coisa a ser feita com um cão raivoso. Então, Walt, posto contra a parede, finalmente decide-se que é preciso dar um jeito em Jesse, encerrando sua sociedade para sempre.

5x13 | **TO'HAJIILEE**

Este é o nome da reserva indígena norte--americana onde Walt e Jesse cozinharam metanfetamina pela primeira vez no episódio piloto e onde Walt enterrou seu dinheiro no episódio

5x10. Simbolicamente, é o alfa e o ômega da jornada de Walt, fazendo-o voltar para onde tudo começou, e onde ele alcançará o clímax horrível de sua jornada no próximo episódio.

5x14 | **OZYMANDIAS**

O título de um poema de Percy Bysshe Shelley, sobre a natureza temporária e fugaz da fama e do império:

Ouvi um viajante de uma antiga terra
Dizer: "um par de pernas jaz truncado
No deserto. E, perto, a areia enterra
Os restos de um semblante estilhaçado
Que diz, com lábio e cenho frio de guerra,
Como à pedra sem vida se esculpiu
Tais paixões vivas na obra que se fez
Que a mão logrou e o coração nutriu.
E, ao pedestal, palavras há inscritas:
Meu nome é Ozimândias, rei dos reis,
Curva-te, Ó Grande, ao fausto que ora fitas!
Nada mais resta: sós, ao longe, à margem
Da imensa ruína, nuas e infinitas,
As areias compõem toda a paisagem".[2]

Os temas desse poema — queda de poder, transitoriedade e o legado das lendas — ressoam através dos episódios finais. Enquanto este é o episódio em que Walt perde tanto seu dinheiro quanto sua família, também marca a virada em que ele se esvai do alto poder ao puro desespero. O diretor Rian Johnson filmou um *teaser* promocional para a temporada em que Bryan Cranston lê o poema enquanto, num *time--lapse*, o chapéu de Heisenberg perambula pelas areias do Novo México.

2 *Prometeu Desacorrentado e outros poemas* (Belo Horizonte: Autêntica, 2015). Trad. Adriano Scandolara. [NE]

5x15 | **GRANITE STATE**

Uma volta ao episódio 5x01, "Granite State" é o apelido de New Hampshire (estado que deu seu lema ao título do episódio 5x01). Walt se encontra encurralado nas montanhas do norte de New Hampshire para manter-se longe do alcance da polícia, em completo isolamento. O título também brinca com a possibilidade de Walt ser pego entre duas situações adversas ["*a rock and hard place*", entre uma pedra e um lugar duro, como pode se traduzir literalmente a expressão em inglês], preso no estado mais difícil que ele já esteve em sua vida com nenhuma saída aparente à vista. Se To'hajiilee é o Waterloo de Walt, então New Hampshire é sua ilha de Elba — uma prisão que espera um grande plano de fuga.

5x16 | **FELINA**

O título, a princípio, é uma referência a uma personagem das baladas de tiroteio de Marty Robbins, Felina. Tema de uma canção que leva seu nome, Felina também é a mulher que o cantor tenta resgatar na canção "El Paso", que toca no carro de Walt enquanto ele foge de New Hampshire (ele também assobia e cantarola a canção através do episódio). Contudo, como há várias alternativas para a grafia desse nome, Vince Gilligan escolheu essa versão por sugestão da coordenadora de roteiros Jenn Carroll, que notou que a palavra também é um anagrama para "finale". ◆

5x10

5x14

5x16

O
ooo

custo de fazer negócios

Os custos de fazer negócios podem ser normalmente medidos em centavos e dólares e despesas gerais ao longo do tempo; no mundo da produção da metanfetamina, o custo é medido em corpos.

1x03 | Krazy-8
(Domingo Gallardo Molina)

T01

1x01 | Emilio Koyama

T02

2x01 | Gonzo

2x01 | No-Doze

3x13 | Quatro
executores do cartel

3x08 | Juan Bolsa
e seus dois
guarda-costas

3x12 | Tomás Cantillo

3x13 | Gale Boetticher

3x12 | Dois traficantes rivais

2x02 | Tuco Salamanca

2x07 | Tortuga

2x07 | Agente do DEA não identificado

2x06 | Atendente da loja de conveniência

2x06 | Spooge

2x11 | Combo

2x12 | Jane Margolis

2x13 | Passageiros do Wayfarer 515 e do JM 21

3x07 | Marco Salamanca; homem sem nome

3x06 | Mrs. Peyketewa

T03

3x08 | Leonel Salamanca

3x06 | Agente Bobby Kee

3x01 | Passageiros do caminhão (nove mexicanos) e o motorista coiote

"Todas as pessoas que matamos — Gale ... e o resto. Se você acredita que há um inferno — eu não sei se você curte isso — mas todos nós vamos direto pra lá, né? Bem, eu não vou descansar até chegar lá."

WALT, PARA JESSE | 5x07

T04

4x01 | Victor

4x06 | O motorista e dois seguranças do Los Pollos Hermanos

4x04 | Dois assassinos do cartel

4x08 | Max Arciniega

5x16 | Walter White

5x16 | Todd Alquist

5x15 | Andrea Cantillo

5x16 | Jack Welker, Kenny, Frankie e a gangue da supremacia branca

5x16 | Lydia Rodarte-Quayle

4x09 | Capanga de Gus

4x13 | Hector Salamanca, Tyrus Kitt e Gus Fring

5x02 | Duane Chow e Chris Mara

T05

5x02 | Peter Schuler

5x14 | Hank Schrader

4x10 | Don Eladio, Benicio Fuentes, Miguel, Don Paco, Don Cesar, Don Renaldo, Don Artuno, Don Cisco, Don Luis, Don Escalada, dois capos do cartel Juárez, Gaff e Joaquín Salamanca

4x13 | Dois guarda-costas de Gus

5x05 | Drew Sharp

5x08 | Dan Wachsberger e os caras de Mike (nove, incluindo Dennis Markowski)

5x14 | Steve Gomez

5x10 | Declan, Morse, cozinheiro de metanfetamina e capangas

5x07 | Mike Ehrmantraut

UM TOQUE
DE QUÍMICA

03

"Você e eu não vamos produzir lixo.
Vamos fazer um produto quimicamente
puro e estável que age como
anunciado. Sem adulterantes, sem
fórmula de bebê, sem pimenta em pó."

| WALTER WHITE | 1x01 |

uímico profundamente apaixonado, Walt brande a ciência como a arma mais forte em seu arsenal. Seu respeito pela química não apenas permite que ele crie uma metanfetamina pura, de um azul impossível, como também permite que ele se arme com a força destrutiva de sua própria engenhosidade sombria — livrando-o de situações complicadas e mostrando a outros agentes que ele é uma força que merece ser reconhecida. As páginas a seguir apresentam dez tipos diferentes de químicos, gases, compostos, ferramentas e plantas que Walt usou com efeito mortal no seriado.

Gás fosfina

Um gás sem cor, inflamável e tóxico normalmente usado em sua forma pura sem odor.

O elemento fósforo vermelho pode ser convertido em gás fosfina (PH_3), um gás denso, altamente tóxico, sem cor e inflamável, sempre que calor e umidade estiverem presentes. Se incendiado, a fumaça também contém fosfano que, ao se misturar com o ar, forma ácido fosfórico (H_3PO_4), que pode provocar sérias reações na pele. O gás fosfina causa uma série de sintomas, incluindo náusea, vômito, diarreia e morte.

No episódio piloto, durante a fatídica carona com Hank e Gomez, Hank brevemente menciona esse gás altamente tóxico em uma batida do DEA — mas refere-se erroneamente a ele como "gás mostarda". Walt o corrige, mas Hank mantém-se inflexível (e retifica) que "basta uma aspiradinha para matar".

Mais tarde o gás fosfina torna-se o salvador de Walt na derrubada improvisada de Krazy-8 e Emilio. Com a sua vida e a de Jesse em risco, Walt é forçado a pensar rápido. Enquanto Jesse está inconsciente do lado de fora do trailer, Walt leva Emilio e Krazy-8 para dentro para lhes ensinar sua receita. Mas, como eles não sabem química de verdade, nenhum dos dois percebe que Walt segura o fósforo vermelho e não conseguem detê-lo antes que ele o jogue no fogo. Quando o gás venenoso explode, Walt segura o fôlego e sai correndo, batendo a porta às suas costas e segurando-a do lado de fora. Em uma tentativa fútil de fugir, eles atiram cegamente para a porta, mas logo são derrubados pelo gás.

Esta é a primeira morte, uma questão de segurar a porta fechada enquanto a fosfina faz seu trabalho. O que você faria?

PILOT | 1x01

PÁGINAS ANTERIORES: Ensinando o professor: Vince Gilligan mostra a Bryan Cranston o que esperar.

Ácido fluorídrico

Um ácido extremamente corrosivo, composto de fluoreto de hidrogênio na água.

O ácido fluorídrico ou solução aquosa de fluoreto de hidrogênio (HF) é um ácido cuja maior propriedade é atacar vários materiais, inclusive metais e vidro. Por isso, normalmente só é seguro armazená-lo em alguns tipos de plástico.

Depois que Walt prende Emilio e Krazy-8 no trailer com gás fosfina, ele descobre que apenas Emilio morreu e que Krazy-8 está meramente inconsciente. Em "Cat's in the Bag...", enquanto luta com o dilema sobre como lidar com Krazy-8, Walt recruta a ajuda de Jesse para encobrir seus rastros.

Para livrar-se do corpo de Emilio, ele manda Jesse com instruções para conseguir ácido e um tonel de polietileno, um tipo específico de plástico, onde colocar o corpo. Como Walt é bem específico sobre o material do tonel, Jesse pergunta o porquê, mas Walt desconversa, fazendo Jesse se atrapalhar e esquecer parte das instruções, desviando-se do plano.

Depois de um breve e desconcertante encontro com Skyler, Jesse decide que tem de se livrar do corpo imediatamente. Ele coloca o cadáver de Emilio em uma banheira, o cobre com ácido fluorídrico e deixa-o dissolvendo ali, satisfeito em ter cumprido sua missão macabra. Infelizmente ele não tem consciência de que o ácido é capaz de corroer o corpo, desintegrar a banheira e finalmente carcomer o chão debaixo dela.

Só depois da horripilante cena em que os restos liquefeitos do cadáver e da banheira atravessam o chão, torna-se claro para Jesse a estupidez que ele cometeu — e por que ele deve ouvir pacientemente quando Walt fala sobre ciência: os detalhes sempre importam.

O ácido é ótimo no cinema: faz fumaça, chia, provoca reação. É ótimo para farsas e lesões violentas, consumindo um corpo, a banheira, todo o chão — e assim vai infinitamente.

CAT'S IN THE BAG... | 1x02

Fulminato de mercúrio

Um explosivo primário quase sempre utilizado como iniciador para outros explosivos.

$Hg(CNO)_2$ é o fulminato de mercúrio, uma substância altamente explosiva descoberta pelo químico inglês Edward Charles Howard no ano 1800. É um explosivo "primário", ou que pode ser acionado por impacto, fricção, calor, eletricidade estática ou radiação eletromagnética. Essa substância foi usada para disparar pólvora em armas de fogo e ainda é usada como gatilho, graças à pequena quantidade de energia que precisa para entrar em combustão.

Em "Crazy Handful of Nothin'", para obter o $Hg(CNO)_2$ dissolve-se mercúrio em ácido nítrico, e a essa solução é acrescentado etanol. Enquanto as contas médicas de Walt se avolumam e Jesse não consegue vender metanfetamina suficiente para cobrir os gastos, os dois encontram-se em uma situação indesejável, forçados a lidar com o bandido imprevisível Tuco. Quando Jesse tenta exigir o pagamento da droga que ele repassa, Tuco lhe dá uma tremenda surra, deixando-o mais morto do que vivo.

Depois de ver Jesse na cama do hospital, Walt percebe que precisa de uma exibição mais vulgar de força para deixar Tuco em alerta — e dá seu primeiro mergulho na piscina da criminalidade.

Usando pela primeira vez o nome "Heisenberg", Walt engana Tuco fazendo com que ele pense que um saco de fulminato de mercúrio é metanfetamina, de forma a introduzir o explosivo nos domínios de Tuco. Walt atira um pedaço de cristal no chão, provocando uma explosão que estoura as janelas e chacoalha o prédio. Walt então exibe o saco cheio de fulminato de mercúrio dizendo que ele os explodiria caso fosse preciso. Tuco, chocado e encantado com a explosão, dá a Walt o que ele exige: ele fará negócios com esse cozinheiro iniciante, esse "Heisenberg". Quando Tuco pergunta que explosivo é aquele, Walt responde que é um "truque de química".

Walt, de sua parte, sente pela primeira vez o gosto do poder, recebendo 35 mil dólares, a quantidade de dinheiro que foi roubada de Jesse, além de um adicional de 15 mil dólares pela dor e pelo sofrimento de Jesse — tudo numa só tacada.

Sessenta anos atrás você conseguia o cargo vendendo segredos de tecnologia e diagramas que explicavam "como fazer". Hoje em dia, o conhecimento básico de ciência pode ser uma ferramenta poderosa; uma que pode ser empunhada por qualquer um.

CRAZY HANDFUL OF NOTHIN' | 1x06

Térmite

Um composto de pó metálico e óxido de metal cria uma reação térmite capaz de emitir tal quantidade de calor que pode produzir temperaturas intensamente altas em pequenas áreas; térmites são utilizados em inúmeras aplicações militares e em construção.

Graças a circunstâncias imprevistas, Walt e Jess lutam para produzir enormes quantidades de metanfetamina que Tuco exige. Para manter calmo o imprevisível Tuco, Walt e Jesse tomam medidas drásticas para aumentar a produção. Em vez de usar "mulas" para suprir pseudoefedrina aos poucos, Walt decide mudar o processo de fabricação e cozinhar usando um outro elemento químico — o que queria dizer arrumar quantidades industriais de metilamina de forma segura.

Feliz ao saber que o novo plano significa ganhar ainda mais dinheiro, mais rápido, Jesse exclama: "Yeah, ciência!". Sua animação dura só até ele perceber como os itens que Walt precisa são difíceis de se obter — e, no caso da metilamina, muito mais difícil do que a pseudoefedrina era. Eles descobrem o material em um galpão de depósito, mas é muito caro para ser comprado além de equivaler a um sinal luminoso, atraindo a atenção da lei. Não há outra opção: eles decidem invadir e roubar e a necessidade torna-se a mãe da invenção.

Walt se depara com um brinquedo mecânico e logo o plano do roubo se forma em sua mente. Ao usar pó de alumínio no interior do brinquedo, Walt produz uma reação térmite, que usa para cortar o cadeado do galpão, de forma que ele e Jesse podem pegar um barril de metilamina e levá-lo pra casa sãos e salvos.

Ao perceber o baixo suprimento de pseudoefedrina, Walt põe seu conhecimento químico em ação e sugere metilamina como um substituto e o uso de térmite para consegui-la.

A NO-ROUGH-STUFF-TYPE DEAL | 1x07

Ricina

Uma proteína natural e altamente tóxica, derivada das sementes de mamona, *Ricinus communis*.

Apenas alguns grãos dela podem matar um adulto devido à sua alta toxicidade: refinar a polpa de apenas oito de suas sementes pode criar uma quantidade perigosa. Foi notoriamente usada para assassinar o búlgaro desertor Georgi Markov em 1978 — a KGB lhe injetou uma minúscula pastilha de ricina com a ponta de um guarda-chuva. O veneno age inibindo a síntese de proteínas nos ribossomos, causando a morte generalizada das células em inúmeros sistemas de órgãos. Doses orais são de alguma forma menos venenosas que inalação e injeção; se tratada a tempo, a ingestão nem sempre resulta em morte, apesar de todo envenenamento por ricina tender a causar danos irreparáveis nos órgãos.

A ricina é mencionada várias vezes em *Breaking Bad*. Em "Seven Thirty-Seven", Walt e Jesse fazem uma porção em casa, esperando colocá-la em um saco com metanfetamina para que Tuco cheirasse. Infelizmente, Jesse diz que aquilo era só pimenta em pó, o que faz com que ele deixe a substância de lado com desgosto — o sabor especial da droga de Jesse acabou se tornando brochante para os puristas da metanfetamina, bem como para Walt. Mais tarde, quando Tuco os sequestra, eles tentam envenenar seu burrito, mas subestimam Tio, que derruba o burrito envenenado.

Depois disso, Walt faz uma porção no superlaboratório para Jesse envenenar Gus ("Problem Dog"). Jesse tem algumas oportunidades de administrar o veneno, mas, encantado pelo persuasivo Gus, prefere não fazer isso. A situação causa um problema entre Jesse e Walt. Quando Brock aparece no hospital, aparentemente vítima do veneno — e a ampola que Jesse havia escondido em um cigarro desaparece —, ele culpa Walt, pensando que esta seria sua vingança heisenberguiana por não ter matado Gus. Walt o convence de que Gus envenenou o garoto para colocar Jesse contra ele. Mais tarde, Walt secretamente recupera a ricina de Saul, que tinha armado para Huell tirar do cigarro de Jesse.

No final da primeira metade da quinta temporada, Walt considera usá-la em Lydia na cafeteria, mas quando ela prova sua utilidade, ele guarda o veneno definitivamente, escondendo a ampola no interior de um interruptor em sua casa, onde ainda aguarda para realizar seu propósito fatal.

Você sabe a sensação — seus ribossomos simplesmente não agem como deveriam. Ricina foi a proverbial arma de Tchekhov [se você coloca uma arma numa história, alguma hora ela vai disparar] de *Breaking Bad*. Nós todos sabíamos que ela voltaria, mas a única questão era quem seria a vítima final.

FELINA | 5x16

Bateria improvisada

Entender as propriedades profundas de materiais cotidianos permitiu a Walt que ele aproveitasse suas propriedades eletroquímicas num estalo.

Quando Walt vê uma perturbadora sombra em seu raio X, ele acha que seu câncer está se espalhando e seu tempo, acabando. Com medo de morrer sem deixar um legado para sua família, decide que ele e Jesse precisam cozinhar o barril inteiro de metilamina que eles roubaram de uma vez. Então, Walt diz a Skyler que vai fazer uma viagem para ver a mãe, e ele e Jesse vão para um local remoto no deserto por quatro dias numa maratona de cozinha que lhes renderia cerca de 1,3 milhão de dólares. Depois de cozinhar sem parar por dias, Jesse convence Walt que dormir uma noite em um hotel seria bom para eles. Quando eles tentam ligar o trailer, a bateria está descarregada porque Jesse deixou as chaves no contato do veículo, drenando toda energia. Eles tentam usar o gerador portátil para dar uma carga, mas ele explode após algumas tentativas e Jesse usa a última água potável que tinham para apagar o fogo.

As coisas vão de mal a pior. Eles perdem o sinal do celular depois que uma ligação para Skinny Pete os coloca no rumo errado. Eles não têm água e não têm como escapar do calor. Walt começa a tossir sangue. Os dois logo percebem que podem muito bem morrer ali.

Eles tentam ligar a bateria na mão, tentando uma carga a conta-gotas durante boa parte do dia, mas nada ocorre. Quase no limite de desistir, Walt tem uma ideia súbita: eles podem construir uma bateria improvisada com os materiais que têm no trailer, usando uma reação química para produzir corrente elétrica.

As partes básicas da bateria são os eletrodos positivo (o cátodo) e o negativo (o ânodo), uma solução

Cátodo/ânodo: é o casamento moderno de cargas opostas, como Laurel e Hardy, Lucy e Desi ou maníaco e depressivo.

4 DAYS OUT | 2x09

eletrólita e um condutor. Para o cátodo, eles usaram óxido de mercúrio e grafite encontrados nos freios do trailer. Para o ânodo, eles juntaram todo o metal galvanizado que puderam encontrar — moedas e partes soltas de metal ricas em zinco. A solução eletrólita veio de esponjas embebidas em hidróxido de potássio, em que as células da bateria fossem conectadas ao condutor, que era um simples fio de cobre. Depois de deixar carregar por um momento e de agonizar em uma primeira tentativa, o trailer começa a funcionar e eles podem sair do deserto com uma enorme carga de metanfetamina.

Explosivo caseiro

Para resolver seu problema com Gus de uma vez por todas, Walt faz uma bomba potente de nitrato de amônio com óleo combustível [ANFO] no fogão de sua cozinha.

A tensão entre Walt e Jesse se acumula como resultado de uma nova relação que se desenvolve entre Jesse e Gus e a persistente animosidade após a morte de Gale. Walt sabe que é matar ou morrer e precisa achar um ponto vulnerável na armadura de Gus para explorar.

Walt escolhe um explosivo de ANFO como sua arma da vez: fácil de sintetizar a partir de substâncias químicas domésticas, esses explosivos fortes são utilizados em demolições e por militares, bem como por extremistas nos últimos cinquenta anos.

Enquanto o ANFO borbulha em uma panela em fogo baixo para que o guisado químico se agregue, Walt testa o detonador. As primeiras poucas tentativas não saem bem como planejado, mas ele descobre que apertar o botão repetidamente faz com que enfim a carga se libere (mais tarde, Tio usará esse mesmo gatilho, tocando repetidamente seu sino até que ele finalmente exploda).

Ao usar ímãs fortes em uma fralda cheia de explosivos, Walt planta a bomba no carro de Gus. Ele fica de vigília em um telhado nas proximidades, esperando por Gus e seus capangas. Mas Gus sente o problema e dá a volta pouco antes de entrar no raio da explosão, salvando sua vida.

Finalmente, em "Face Off" (4x13), Walt faz um acordo com Tio para se tornar uma bomba viva, amarrando os explosivos em sua cadeira de rodas e transformando a campainha, sua marca registrada, em gatilho. Gus não percebe o perigo dessa vez e Walt finalmente vence sua guerra contra o inescrutável chileno.

Ponha uma arma num filme e ela deve ser disparada. Acrescente uma bomba — espere a explosão. E hoje em dia você nunca sabe quando alguém com um ponto de vista diferente não está prestes a armar o inferno.

END TIMES | 4x12

Lírio-do-vale

Belo e mortal, o lírio-do-vale dá frutas doces e deliciosas... cheias de compostos tóxicos.

Para conseguir que Jesse fique a seu lado em sua última partida contra Gus, Walt envenena Brock Cantillo com as frutas da planta *Convallaria majalis*, conhecida como lírio-do-vale.

A planta comum ornamental tem flores brancas delicadas e frutas que são gostosas e, em quantidade suficiente, mortais. O lírio-do-vale é às vezes consumido por crianças por causa do cheiro convidativo das flores. Toda a planta é venenosa — caule, folhas, flores e frutos. Aproximadamente quarenta glicosídeos diferentes foram descobertos nessa planta, que afetam muitos sistemas de órgãos do corpo humano.

Primeiramente, os glicosídeos cardíacos aumentam a força pela qual o coração pode contrair, uma qualidade que fez do lírio-do-vale um remédio popular em doses baixas para pacientes de cardiopatias. Contudo, acima da dosagem segura, é possível sofrer um número maior de sintomas, incluindo visão embaçada, náusea, desorientação e até morte.

Apesar de os espectadores nunca terem visto Brock comer lírio-do-vale, fica claro que Walt foi o responsável pela hospitalização de Brock e seu consequente risco de morte quando vemos uma destas plantas perto da piscina. Inicialmente, os médicos acharam que Brock poderia ter sido envenenado por ricina, como Jesse havia cogitado, mas depois que os testes dão negativo para esse veneno, eles ampliam a investigação e terminam por identificar as toxinas difíceis de se rastrear como vindas da planta.

O tratamento inclui cuidados médicos hospitalares, regulação de fluidos e ingestão de carvão ativo para livrar o corpo das toxinas.

Lírio-do-vale, uma bela flor, mas um veneno mortal. E todos nós gostamos de flores — até que olhamos para cima e vemos os belos buquês caindo sobre nós. Alguém aceita um enterro prematuro?

FACE OFF | 4x13

Ímã industrial

Depois da morte dramática de Gus, Walt percebe que há pontas soltas que precisam desaparecer — incluindo horas de vídeo e documentos no computador de Gus que podem incriminá-lo.

Quando Walt percebe que o DEA está com o laptop de Gus, ele sabe que precisa pôr suas mãos nele para destruir seu conteúdo. E como ele está trancado em um prédio policial ultrasseguro, ele tem poucas opções: atacar a estação policial, se infiltrar lá de alguma forma ou encontrar uma maneira de destruir a informação no laptop sem ter que entrar no prédio. Enquanto ele e Mike debatem sobre opções mais violentas, é Jesse que finalmente sugere o melhor caminho: *ímãs, yo.*

Discos rígidos possuem domínios magnetizados, pequenas regiões em que o disco organiza magnetizações uniformes. Os discos rígidos mudam essas regiões ao mover um cabeçote sobre elas, redefinindo-as e, assim, codificando informação. Um disco pode ser totalmente apagado quando se mistura ou se destrói as posições definidas por esses domínios, tornando-os inutilizáveis.

Walt sabe que um ímã eletrônico precisaria de uma quantidade enorme de energia para produzir um campo magnético forte o suficiente para funcionar (já que os campos magnéticos diminuem exponencialmente a partir de uma certa distância). Normalmente esse tipo de trabalho pode ser feito de fora com a utilização de um dispositivo especial, chamado *degausser*, usado para apagões em massa. Para fazer seu próprio *degausser*, eles conseguem um ímã enorme com o velho Joe — o dono do ferro-velho em que Jesse e Walt destruíram o trailer — e o ligam a um número enorme de baterias conectadas em série. Depois se esgueiram pela segurança para estacionar uma van com o dispositivo inteiro dentro dela bem do lado de fora da sala de provas.

Quando é ligado pela primeira vez, o ímã não tem força suficiente. Quando Walt injeta mais energia, todos os objetos de metal voam pela sala de provas e as prateleiras de metal caem. Na confusão, a tela do laptop é quebrada e os dados são destruídos — embora sua criptografia possa tê-los protegido, como Hank pensa mais tarde. Walt, Jesse e Mike conseguem escapar em cima da hora, abandonam o equipamento com aparente sucesso... à exceção de que a destruição na sala de provas revela uma lista de contas secretas de Gus, que permitiu ao DEA resgatar todo o dinheiro que havia sido separado para o "adicional de periculosidade" dos comparsas de Mike para mantê-los quietos. Assim, mesmo quando é mais habilidoso, Walt é seu pior inimigo.

Como Jesse diz eloquentemente:
"Yeah, *bitch*, ímãs!".
LIVE FREE OR DIE | 5x01

Tocha de solda

Acuar Walt num canto nunca é uma boa ideia. Amarrado a um radiador, ele tem uma solução chocante para seu problema.

Walt tenta impedir que Mike venda a parte da metilamina que obteve no assalto ao trem. Mas Mike está decidido a não entregar sua parte para Walt, então, para evitar que ele interfira, Mike o amarra a um radiador no escritório da Vamonos Pest com um lacre de plástico. Sair dali requer um feito hercúleo de vontade.

Mike é obrigado a deixar Walt sozinho por um breve período enquanto vai arquivar uma ordem de restrição contra o DEA. Walt procura na sala por alguma possibilidade de escapar e vê uma cafeteira em um arquivo. Torcendo para quebrar a jarra e usar o vidro para se libertar, ele consegue derrubar a cafeteira, mas a jarra não quebra e acaba rolando para longe de seu alcance.

Ele desanima por um momento, mas então olha com atenção para os fios na base da cafeteira. Ele rasga o fio com os dentes e então coloca uma de suas pontas no lacre e outra para cima. Então ele liga o estabilizador e deixa a corrente fluir, criando um arco elétrico entre os dois fios (essa propriedade de corrente elétrica é a mesma utilizada em soldadores para cortar metais). Lenta e dolorosamente, ele rasga o plástico e finalmente se liberta, correndo para o bebedouro para lidar com seu antebraço queimado.

O fogo é feito para o cinema — o crepitar da chama é doce como a visão de uma onda se formando e quebrando. Fogo é vida, oxigênio em ação; e fogo é morte.

BUYOUT | 5x06

DERRETENDO UM LACRE EM SEU PRÓPRIO PULSO

Werner Hahnlein, o coordenador dos efeitos especiais, compartilha o processo por trás dos feitos da cena com a tocha de solda no episódio 5x06:

Itens utilizados:
1. Braço e mão protéticos
2. Lacre de plástico
3. Transformador néon
4. Fio de alta voltagem
5. Interruptor para segurança e controle

O braço protético é amarrado ao radiador com um dos lados do fio atrás do lacre, contra o pulso. Enquanto Walt faz os dois fios chegarem mais próximos, nós ligávamos o transformador néon, que cria o fogo. Enquanto ele vai descendo a tocha, ele literalmente vai derretendo o lacre. Fizemos o plástico do lacre daquela área ser mais fino para acelerar o processo e terminamos fazendo um truque seguro e fácil de repetir.

O TESTE DA QUÍMICA DO MAL

1. GÁS FOSFINA

Quantos outros tiros de bala há na porta do trailer além dos três mostrados?

A | 2
B | 3
C | 4
D | 5

2. ÁCIDO FLUORÍDRICO

Quantos corpos foram dissolvidos em ácido na tela?

A | 1
B | 2
C | 3
D | 4

3. FULMINATO DE MERCÚRIO

Onde a ideia do fulminato de mercúrio é mencionada pela primeira vez no episódio 2x07?

A | **Na sala de aula de Walt**
B | **Em uma conversa entre Walt e Hank**
C | **No esconderijo de Tuco**
D | **Em uma conversa entre Walt e Jesse**

4. TÉRMITE

Quanto dinheiro Jesse diz que a "equipe profissional" precisa para roubar a metilamina do armazém químico?

A | **8 mil dólares**
B | **10 mil dólares**
C | **12 mil dólares**
D | **15 mil dólares**

5. RICINA

Quantos assassinatos malsucedidos Walt planejou com ricina?

A | **1**
B | **2**
C | **3**
D | **4**

6. BATERIA IMPROVISADA

Que solução "científica" Jesse não oferece a Walt sobre como fugir do deserto em Novo México?

A | **Um sinal de combustível de foguete**
B | **Um buggy**
C | **Um robô**
D | **Uma motocicleta**

7. EXPLOSIVO CASEIRO

Onde Walt tenta assassinar Gus com sua bomba caseira feita com um cano?

A | **No Los Pollos Hermanos**

B | **No estacionamento do hospital**

C | **Na casa de Gus**

D | **Na Casa Tranquila**

8. LILY OF THE VALLEY

Em "End Times", enquanto está sentado na piscina contemplando seu próximo passo, quantas vezes Walt gira a arma antes de apontar para o lírio-do-vale?

A | **1**

B | **2**

C | **3**

D | **4**

9. ÍMÃ INDUSTRIAL

Quantas baterias Walt pediu a Joe para ligar em paralelo e ligar o ímã?

A | **16**

B | **36**

C | **21**

D | **42**

10. TOCHA DE SOLDA

Quantos segundos Walt levou para queimar o lacre?

A | **9**

B | **10**

C | **11**

D | **12**

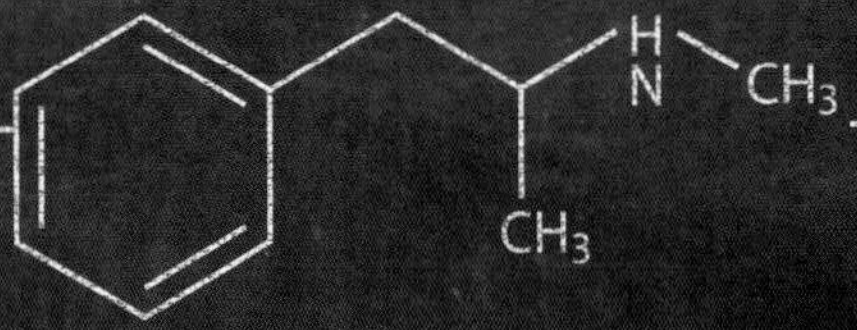

7 | B   8 | B   9 | C   10 | D
4 | B   5 | B   6 | D
1 | A   2 | D   3 | A

VISUALIZEM ISSO, BITCHES

04

"Isso não é química — isso é arte. Cozinhar é arte. E a porra que eu cozinho é a melhor."

JESSE, PARA WALT	1x01

Como uma série de TV que define seu gênero, o estilo visual de *Breaking Bad* é uma combinação icônica de elementos de westerns, filmes de gângster e dramas policiais. Para criar esse visual específico, todo elemento foi meticulosamente pensado e planejado, com cada departamento agindo em conjunto para criar o mundo.

Arte em cena

Enquanto

E

04

nquanto os atores são os veículos primários para convergir emoção e clima para uma cena, a direção de arte — que inclui encontrar locações práticas, construir cenários, sua decoração e objetos de cena — é crucial para definir a atmosfera e o tom. Obras de arte, que podem aparecer no fundo ou ser pontos centrais de uma cena, acrescentam profundidade à dimensão estética e ampliam a história para além do contexto da cena. A arte pode ser uma ferramenta para prefigurar e pode expor significados ocultos, enquanto desenvolve o ânimo.

Durante *Breaking Bad*, obras de arte cuidadosamente escolhidas e dispostas desempenharam um papel sutil mas essencial. Talvez o mais óbvio, a pintura do barco a remo no consultório do médico em "Bit by a Dead Bee" (2x03), que depois reaparece em "Gliding Over All" (5x08), quando Walt está mandando matar os homens de Mike na cadeia — que amarra sua iminente mortalidade e seu papel como uma força da morte juntos em uma mesma imagem. O papel da arte também apresenta nuances quando o próprio Jesse é mostrado como um artista que desenha personagens de histórias em quadrinhos e se orgulha de suas habilidades de carpintaria. Aliás, quando Jesse mostra seu trabalho para sua então namorada Jane Margolis e ela comenta que os personagens nos desenhos têm uma semelhança impressionante com Jesse — sua tentativa de se ver como herói é refletida em seus traços. Também demonstra a precisão e atenção ao detalhe que ele imagina em seu papel como um chef de metanfetamina de alta patente.

Enquanto algumas artes na série foram compradas ou alugadas para serem utilizadas — incluindo reproduções de obras de artistas notáveis como Edgar Degas e Thomas Kinkade — a maior parte foi criada por artistas escolhidos pela equipe do departamento de arte para se encaixar em parâmetros específicos mencionados no roteiro. Em ambos os casos, a arte mostrada em *Breaking Bad* sempre causa impacto. Uma seleção de imagens mostrando parte dessas obras na série segue nas próximas oito páginas.

ESQUERDA: Uma arma anônima, um quarto de hotel anônimo com arte anônima nas paredes — "É para defesa."

PÁGINAS ANTERIORES: As texturas na superfície começam com sangue e machucados (sem contar o corte de cabelo de Walt) e seguem em tatuagens, roupas de marca e nos registros coloridos de máquinas.

"Isso. Nova Zelândia, foi lá que eles, ahn, onde eles fizeram o *Senhor dos Anéis*! Vamos nos mudar pra lá, hein! Quer dizer, você poderia viver da sua arte, né? Tipo, você poderia pintar os castelos ou uma merda assim e eu poderia ser um piloto de avião!"

JESSE, PARA JANE | 2x12

PÁGINA AO LADO, ACIMA: O mural na parede do quarto de Jane foi criado por Richard Montoya, integrante da equipe de design. À primeira vista, parece uma doce e psicodélica paisagem de sonho em que uma mulher vaga feliz pelas estrelas. No contexto da série, no entanto, ele também prediz o terrível acidente de avião, com o icônico urso de pelúcia rosa flutuando no céu, e o destino final de Jane em um estupor estimulado por drogas.

PÁGINA AO LADO, EMBAIXO E ABAIXO: Você Jesse, eu Jane. Ela é a melhor oportunidade de romance da série, um artista em ascensão e uma mulher dos infernos. Mas junte seus pedaços enquanto pode.

PÁGINA AO LADO: Os White tomam café da manhã em sua sala de jantar confortavelmente decorada. Talvez Walt possa cuidar de Holly, agora que ele tem umas "poucas semanas".

ABAIXO: "Você comprou essa pintura?" "Eu gosto dela, Walt — eu tenho um lado sensível."

Esse dinheiro é de verdade ou parte da roupa? Esse mural é realmente uma parede ou é o sonho de Jesse vindo pegá-lo?

À ESQUERDA: o escritório de Saul é coberto por um papel de parede que reproduz a Constituição norte-americana e sua gravata laranja berrante briga com sua camisa azul-elétrico. Você contrataria esse cara?

ABAIXO: Gus está no negócio de comida. Ele gosta de cozinhar... mas guarda uma pequena mancha vermelha em sua cozinha para lhe lembrar de outros negócios.

MIKE: Sua filha não vai te ver.
LYDIA: Ela vai. Ela vai me encontrar.
[...] Ela nunca dorme direito de noite.
MIKE: Ninguém vai te encontrar.

MADRIGAL | 5x02

ACIMA: Jesse sempre foi muito orgulhoso do trabalho que fez em suas aulas de carpintaria no ensino médio. Em outra vida, ele teria sido um bom artesão.

PÁGINA AO LADO: A casa de Lydia lembra Los Angeles. Dá pra ver que ela tem um designer pra fazer isso. Design é com ela.

Uso e significado de cores

O uso criativo de cores sempre foi parte importante de *Breaking Bad*. Manipular a paleta de cores para alcançar diferentes efeitos emocionais e temáticos distingue a série de muitas outras. Dos primeiros frames do céu azul sobre o deserto no piloto, *Breaking Bad* desenvolve as cores taticamente, controlando de perto as paletas de cores da mobília, objetos de cena, cenários e além. Isso é especialmente marcante na escolha das roupas.

1x01 | **Neutro**

1x02 | **Verde ácido**

2x06 | **Verde saturado**

Walter White

Walt começa sua jornada usando cores neutras — bege, amarelo pálido, cáqui, cinza-claro —, mas quando ele decide cozinhar metanfetamina, aparecem os tons mais vivos de verde (ecoando o vestido verde vibrante da mulher no lava-rápido que ele vê quando desmaia no episódio piloto). Enquanto a série progride, verdes e azuis mais saturados entram em sua paleta, uma identificação subconsciente com Skyler (ver na próxima página), finalmente escurecendo rumo ao negro na quarta temporada. No último episódio, "Felina", perto do fim, Walt aparece como uma figura fantasmagórica e sepulcral.

3x06 | **Azul Skyler**

4x04 | **Preto**

5x16 | **Fantasmagórico**

"Tá bom, vai por aquela estrada por mais 25 quilômetros, tá bom? Quer dizer, estamos indo pro inferno aqui. Tá bom? Ah, e aí, olha. Traz água."

JESSE PARA SKINNY PETE | 2x09

Azuis

A cor azul aparece na série em horas cruciais. Além do guarda-roupa — e do céu quase opressivamente azul do Sudoeste sobre as cabeças —, o azul abriu momentos importantes na narrativa: as fitas lembrando o desastre aéreo são azuis, como a fita no para-brisa de Walt, a piscina brilhante e quase nunca usada e, mais notavelmente, a pedra azul que Walt cozinha (um tom que é inexplicável até para o químico perito Gale; é um azul que tende ao mágico e ao demoníaco). Na terceira temporada, Walt veste azul algumas vezes, que Vince Gilligan explicou ser uma pista sutil de que ele está mais emocionalmente envolvido com Skyler (cujo nome remete ao céu — *sky*, em inglês — e cuja paleta de cores é fortemente azul o tempo todo). Ao mesmo tempo, Skyler — que agora está consciente da atividade criminosa de Walt — se afasta do marido, deixando seu costumeiro azul de lado e movendo-se em direção a verdes-escuros e preto.

Muitos dos nomes dos personagens também são coloridos: Walter White (*white* é "branco" em inglês), Jesse Pinkman (*pink* é "rosa" em inglês), Elliott Schwarz (*schwarz* quer dizer "preto" em alemão — o que fez com que a empresa que ele fundou com Walt fosse chamada de Gray Matter, "massa cinzenta", em inglês). O lar dos White inclusive fica em um local friamente batizado de Negra Arroyo Lane (as palavras em espanhol podem ser traduzidas grosseiramente como "rio negro").

PÁGINA AO LADO: Nos anos 1970, o filme noir passou para as cores e logo os céus se tornaram azuis.

PÁGINAS 134-135, EM SENTIDO HORÁRIO DA ESQUERDA SUPERIOR: Skyler vai do azul-bebê ao verde saturado; a iluminação climática da cozinha; caindo no escuro; empacotando o cristal azul.

Cor primária

Ainda mais do que carregar um sentido ou significado literal, o uso da cor em *Breaking Bad* é utilizado como uma forma de evocar uma resposta primitiva, emocional, para além daquela que age no nível consciente. Por exemplo, Jesse normalmente usa preto, amarelo e vermelho — cores vitais, primárias — mas quando ele perde Jane e está preso nessa culpa na reabilitação, ele permite a inclusão de tons de cinza e verde. As cores ajudam o público a entender em termos simples e visuais a vida interior do personagem. Da mesma forma, Jane veste primordialmente preto, antevendo seu papel como uma força sinistra na vida de Jesse.

Outras cores têm uma ressonância emocional menos direta, mas estão associadas bem de perto a personagens ou grupos. Os agentes do DEA Hank e seu parceiro Steve Gomez quase sempre usam laranja. Talvez a associação mais direta na série seja entre Marie e a cor roxa. Ela a veste, a insere na decoração e busca se cercar dessa cor. Na casa dos Schrader, espectadores atentos podem ver fotos de Marie em um vestido de noiva roxo, um saca-rolhas roxo, até mesmo pedras roxas da época em que Hank passa a colecionar minerais. Quando Marie não está presa ao roxo, a sensação é ameaçadora. Por exemplo, no episódio 5x08, "Gliding Over All", Marie usa uma camisa amarela (a cor oposta/complementar do roxo no espectro das cores), que antecipava uma mudança em sua personagem nos últimos oito episódios.

E claro o amarelo neon dos trajes no laboratório é uma das cores mais perturbadoras e artificiais usadas; seu tom é ecoado no equipamento da Vamonos Pest e na pichação de spray "Heisenberg" na parede da casa abandonada de White no episódio 5x09, "Blood Money".

PÁGINA AO LADO: Filme *noir* vira filme *rouge*. Vermelho é agressão e violência; dois temas que estão sempre presentes no superlaboratório.

ABAIXO À ESQUERDA E À DIREITA: Um desanimado Jesse perde seu charme primário depois de perder Jane.

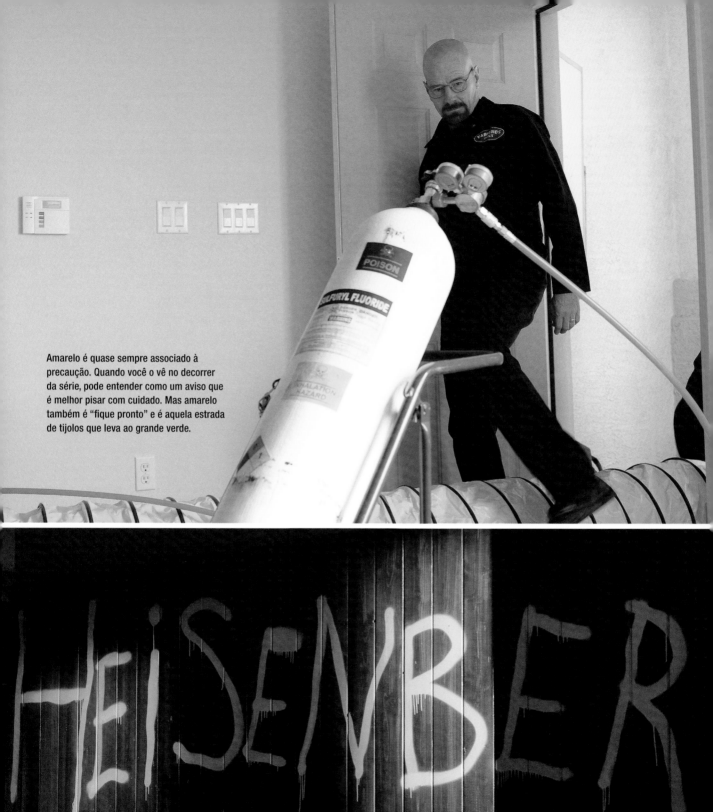

Amarelo é quase sempre associado à precaução. Quando você o vê no decorrer da série, pode entender como um aviso que é melhor pisar com cuidado. Mas amarelo também é "fique pronto" e é aquela estrada de tijolos que leva ao grande verde.

Em todos os filmes, nós assumimos que roupas e decoração — roxo, amarelo e roxo de novo — foram escolhidos... porque combinam, e a vida lhes dá o significado.

Cor no marketing

Com o atual cenário de mídia lotado de veículos e conteúdo, ser bem-sucedido ao vender uma série é essencial para seu sucesso. Isso quer dizer que as artes de promoção devem ser visualmente cativantes e oferecer aos espectadores em potencial uma janela para o mundo da série que a torna difícil de resistir.

Gina Hughes, vice-presidenta sênior de marketing da AMC, e Linda Schupack, vice-presidenta executiva de marketing, explicam aqui a evolução do marketing e da promoção de *Breaking Bad*.

Antes da campanha de marketing oficial da primeira temporada começar, um cartaz conceitual foi criado para funcionar como um catalisador para outros materiais que vieram depois. A imagem do pôster da primeira temporada veio diretamente do episódio piloto e a AMC, trabalhando com Vince e a equipe de produção, sentiu que a foto icônica se destacava imediatamente de todas as outras. O resultado: um homem normal do dia a dia de cuecas no deserto, segurando uma arma próximo de um trailer pegando fogo — uma imagem que falava bastante sobre o humor negro e peculiar do programa. Era uma isca e um ótimo ponto de partida para uma campanha de marketing de um programa com uma história diferente de tudo aquilo exibido na TV anteriormente.

Para as temporadas seguintes, foi a evolução da história que direcionou o marketing. O arco da história que seguiu a transformação de Walter White de um "Mr. Chips" em um personagem tipo Scarface. A arte criativa, ou promocional, que foi utilizada na segunda temporada foi feita para ser uma continuação da arte usada na primeira temporada, e a AMC sentiu que naquele momento era importante incorporar Jesse ao material de marketing para enfatizar a nascente relação e parceria entre Walt e Jesse. Com o progresso da série, a equipe criativa da terceira e da quarta temporadas começou a se concentrar nos aspectos mais sombrios do programa, especificamente, as relações e suas transformações.

A cor também teve um papel importante no marketing, ao imitar a paleta de cores e tons da série. O marketing, como o seriado, começou com uma paleta de cores vibrantes que foi evoluindo para tons mais sinistros. Por exemplo, temas com o amarelo corrosivo e tóxico utilizados na arte da terceira temporada foram propositalmente escolhidos para se destacar em contraste com o fundo rígido. O mesmo amarelo venenoso tomou conta da quarta temporada, reduzindo a imagem de Walt a um preto contra um fundo amarelo doentio. Na última temporada houve um declínio no uso de cores vibrantes e a série usou tons bem mais sombrios.

Os materiais usados no marketing de *Breaking Bad* se tornaram tão característicos quanto o programa e refletem de forma eficaz o conto vívido da transformação de Walter White de um homem aparentemente comum a um poderoso senhor das drogas no limite da destruição.

Arte inspirada em *Breaking Bad*

A arte produzida pelos fãs fala por si mesma sobre a res-sonância de um programa em relação ao seu público. As artes feitas pelos fãs de *Breaking Bad* — que podem ser vistas no Tumblr que a AMC fez para a série e em outros lugares — exploram várias interpretações da série, osci-lando descontroladamente de uma ponta do espectro à outra, variando do sombrio e sinistro ao leve e humorís-tico. Alguns tributos feitos por fãs ilustram os elementos--chave mais evidentes, o "está-na-cara", enquanto outros exploram elementos *easter-egg*, mais sutis, que só os aficionados conseguirão decodificar. O fenômeno trouxe uma nova e muitas vezes desorientadora vida ao pro-grama — como cartas de um universo alternativo ficcional.

Breaking Bad Art Project
(Gallery 1988)

À espera da quinta temporada, a Sony Pictures Television lançou o The *Breaking Bad* Art Project, ao contratar dezesseis dos principais artistas pop para produzir edi-ções limitadas de serigrafias. Cada cópia — inspirada em cenas, personagens e momentos cruciais e chocantes — foi revelada aos fãs pela internet através de uma série de pistas semanais. Apenas duzentas cópias estiveram

disponíveis para os fãs através desse projeto e cada uma delas esgotou-se em minutos. Um décimo sétimo pôster foi revelado em um evento na Gallery 1988 Melrose em Los Angeles, com produtores, elenco, imprensa e fãs excitados no público. Catorze destas imagens estão apresentadas aqui e nas próximas páginas.

À DIREITA: Phantom City Creative, *Lily of the Valley*

ABAIXO: Mark Englert, *The White Residence*

BREAKING BAD

PÁGINA AO LADO: Ken Taylor, *Breaking Bad* **À DIREITA:** Rhys Cooper, *Jesse Pinkman*

ACIMA, EM SENTIDO HORÁRIO A PARTIR DO TOPO À ESQUERDA: Dave Perillo, *Emilio's Disposal*; Justin Santora, *Flight* 515; Chris DeLorenzo, *Better Call Saul*; Jermaine Rogers, *Sem título*

The Descent Into Heisenberg

LOS PRIMOS

PÁGINA AO LADO, EM SENTIDO HORÁRIO A PARTIR DO TOPO À ESQUERDA: Kevin Tong, *Superlab*; Todd Slater, *Descent into Heisenberg — Breaking Bad*; Tom Whalen, *Tio Salamanca*

ACIMA: Jeff Boyes, *Los Primos*

ACIMA À DIREITA: Rich Kelly, *Mexican Shootout*

ABAIXO À DIREITA: Anthony Petrie, *Gus*

CLARO COMO O CRISTAL: A CINEMATOGRAFIA DE BREAKING BAD

05

"O que eu produzo é 99,1% puro. [...] Então é um time de escola contra os New York Yankees. O seu é um refrigerante sem graça, sem marca, genérico. O que eu faço é Coca-Cola clássica."

| WALTER WHITE | 5x07 |

O palco ameaçador de *Breaking Bad* é armado pelas imagens criadas pelos melhores diretores de fotografia. Com o uso dramático de ângulos de câmera, técnicas distintas de cores e peças raras de equipamento especial para conseguir cenas que a maioria dos programas nem sequer considera possível, a cinematografia da série dá aos fãs uma visão distorcida da realidade, os colocando dentro da perspectiva da perturbadora jornada de Walt e Jesse rumo ao sombrio mundo das drogas e do crime.

Cenas de *Breaking Bad*

nquanto *Breaking Bad* explorou uma variedade de filmagens especializadas que se tornaram instantaneamente marcas reconhecíveis do programa, cada uma delas precisou ser organicamente integrada à narrativa da história. Tomadas de câmera *cool* que não fazem a história seguir em frente não chegavam ao estágio de preparação de filmagem. Sob a liderança do diretor de fotografia (temporadas 2 a 5) Michael Slovis, o time de câmera ajudou a criar um imaginário permanente que capturava a história de Walter White enquanto seu mundo mudava... e a contagem de corpos aumentava. Slovis discute como e quando as cenas foram implementadas ao programa:

Michael Slovis: Para mim, é interessante que essas tomadas se encaixem tão naturalmente à linguagem visual do programa. *Breaking Bad* é um estudo de personagem, então esses tipos de filmagem não se encaixariam normalmente, mas eles funcionam porque a história e as atuações são muito fortes. Isso realmente nos permitiu fazer essas cenas com tanta frequência. As filmagens precisam ser cuidadosamente planejadas, precisávamos de pré-visualização, e às vezes chegávamos ao resultado abrindo buracos nos cenários ou construindo portas de alçapão removíveis ou painéis de acesso... se o espaço ou o peso fossem um problema, nós usávamos uma Canon 5D ou uma 7D camufladas pelo nosso departamento em qualquer objeto que estivéssemos usando. Nós quase sempre pedíamos para o departamento de objetos de cena e para o de decoração dos cenários para tirar os fundos de máquinas de refrigerantes, geladeiras, armários de remédios, armários de cozinhas, máquinas de secar roupa, contêineres do superlaboratório e espelhos. Nós tínhamos uma plataforma de filmagem de 3,5 metros de altura com um painel de Plexiglas de quase 3 metros quadrados de área fora do estúdio que nos permitia colocar os atores no alto e a câmera diretamente abaixo. Nós usamos isso pra fazer as tomadas quando as covas estavam sendo cavadas e a cena era vista de cima, os Primos jogando o cigarro para queimar a gasolina, Jonathan Banks jogando as armas no poço, várias tomadas em pias e privadas, bem como uma miríade de outras cenas de ângulos baixos.

ESQUERDA: Era uma vez em que a TV apenas transmitia; *Breaking Bad* é cinema — acredita tanto nas imagens quanto no roteiro.

PÁGINAS ANTERIORES: Você sabe que tem problemas quando um trailer está estacionado no meio do nada e o céu sangra um azul a mais.

O que você pode falar sobre a marca registrada das tomadas de ponto de vista em *Breaking Bad*?

Eu não sei de onde veio essa patente, você sabe, "as tomadas de pontos de vista de *Breaking Bad*", mas acho que temos algo interessante que você pode chamar de ponto de vista, mas são pontos de vista estranhos. São pontos de vista de estranhos objetos inanimados. Nós estamos olhando de baixo para cima para um personagem de dentro de uma privada. Nós estamos olhando de baixo para cima do fundo de uma frigideira, de dentro de uma geladeira ou coisa do tipo. Não sei de onde essa linguagem visual, por assim dizer, veio. Não me lembro de ter nenhum pensamento consciente sobre "ei, talvez devêssemos fazer isso pra ter um tipo de visual para o programa".

Mas me lembro que quando eu estava dirigindo o piloto, tinha uma tomada que eu queria que tivesse uma boa fluência visual. Queria uma tomada em que a câmera vem de dentro do tambor da arma e revela uma pistola apontada para nós, segurada por Walter White. E ele está segurando aquela coisa, apontando para nós e esperando pelo que ele acha ser a polícia chegando. Ele está de pé, de cuecas e é muito dramático, você sabe. Uma espécie de herói de mentira porque ele está usando cuecas justas brancas. Mas eu lembro de dizer para o nosso maravilhoso diretor de fotografia do piloto, o sr. John Toll, que ganhou vários Oscars, cineasta

É uma arma ou uma câmera? Os dois disparam.

fantástico, que "eu realmente quero essa tomada"... E me lembro de ele dizer: "Jesus Cristo, isso é um — você sabe como deve ser difícil fazer essa tomada? Você não consegue fazer isso com efeitos especiais? Pode ser bem mais simples com efeitos especiais". E eu disse: "É, aposto que você está certo e esqueci que você sabe bem mais de cinematografia do que eu jamais saberei, e acredito quando você diz que será uma tomada difícil de fazer, mas eu só — por favor, podemos tentar?"; e ele disse: "Tá bem", porque ele era um cara ótimo. "Tá bem, deixa eu ver como vamos fazer isso." E ele veio com uma forma de fazer isso. Acho que alugamos uma lente, que acredito que se chama T-Rex.

É uma lente com um visual louco, tem um metro de comprimento e começa gigante, enorme e redonda numa ponta e termina bem pequena na outra ponta e nós montamos a pistola em um tripé, pra que ela ficasse bem firme. E o ator, Bryan, colocava a mão e parecia que ele estava segurando-a, no ar, apontando para nós.

Mas, em vez disso, ela estava montada firmemente num enorme apoio. E acho que essa cena levou uma hora e meia ou duas para ser realizada, porque é um campo de profundidade bem raso. E o foco ia do close na saída do cano da pistola até a cara de Walt e tinha de ser feito de forma muito precisa e exata. Por isso levou muito tempo.

E isso mostra o que você pode fazer dentro do cronograma de um piloto contra o de um episódio regular. Tínhamos muito mais tempo para filmar todas essas loucuras que eu inventei como diretor do que os diretores seguintes tinham durante os outros episódios. Mas talvez tenha sido uma dessas coisas que meio que ajudaram a inspirar esse visual com estranhos pontos de vista que temos no programa. Como eu disse, não foi intencional desde o começo, mas é algo que organicamente nos levou para isso. E é um visual que eu adoro... eu e os roteiristas nos divertíamos inventando ângulos diferentes para colocar no roteiro que os diretores suavam para conseguir obter visualmente. ●

PÁGINA AO LADO E PÁGINAS 154-155: Equipamentos especiais usados fora do estúdio permitiam ao diretor de fotografia filmar atores e objetos de ângulos únicos, que faziam os espectadores se sentirem como se fossem parte da cena. Mas eles estão olhando para nós, ou para seu futuro incerto?

"Por alguma razão, eu não confio em você sozinho com a metilamina. Eu tenho que te prender."

MIKE, PARA WALT | 5x06

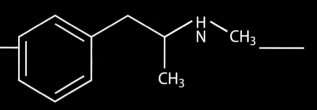

A perspectiva do objeto em movimento

Breaking Bad também é bem conhecida por suas tomadas em pontos de vista de objetos em movimento — como a "câmera do aspirador" ou a "câmera da pá" — que foram conseguidos em uma tremenda colaboração entre os departamentos de câmera, técnica e cenários. Isso permitia que a câmera fosse por baixo, por cima ou através de qualquer objeto ou obstáculo ou fosse colocada em objetos e até mesmo pessoas para conseguir as tomadas necessárias.

Quando a câmera se move com a pessoa, sentimos movimento e propósito, mas também sentimos perigo. A ação dos personagens os torna vulneráveis. Será que alguém está se movendo por trás deles?

TUCKER: O que você está fazendo?

JESSE: Cavando.

TUCKER: Por quê?

JESSE: Ah, você sabe porque...

TUCKER: Você vai cavar tão fundo?

JESSE: Não sei, você acha que está bem fundo?

TUCKER: Bem fundo.

CORNERED | 4x06

PUNHADO MALUCO DE NADA

"Das substâncias químicas usadas como arma em *Breaking Bad*, um dos meus favoritos é o fulminato de mercúrio. Eu ouvi falar do fulminato de mercúrio pela primeira vez em *Mister Roberts,* o grande filme de Henry Fonda. O personagem de Jack Lemmon está sempre explodindo as coisas com fulminato de mercúrio no velho navio da marinha, armando pequenas bombas só pra passar o tempo.

Então quando estávamos discutindo sobre a forma de Walter White dar um jeito no personagem Tuco, no final da primeira temporada, o fulminato de mercúrio me veio à mente. Eu não sabia qual era a cor disso, não sabia como era a cara disso, mas pedi para minha assistente na época, que se tornou uma das maravilhosas roteiristas da série, Gennifer Hutchison, para que ela pesquisasse e visse como era a cara disso. Eu estava implorando pra que essa coisa parecesse, de alguma forma ou formato, com a metanfetamina. E realmente parece. Não é exatamente parecido, nós forçamos um tanto. E apesar de ser um explosivo volátil que tende a explodir quando sofre atrito, eu já havia aprendido que o fulminato de mercúrio não explode só de ser jogado em um piso de linóleo; ele não explode tão facilmente.

Mas foi um destes momentos do qual ficamos muito orgulhosos. George Mastra escreveu aquele episódio, que inclui uma grande cena em que Walt pega o que parece ser metanfetamina e explode um escritório inteiro; ele realmente impressiona um assustador senhor das drogas local. E aquela cena foi belamente dirigida por uma mulher chamada Bronwen Hughes, que concebeu essa tomada maravilhosa em que o explosivo é jogado em nossa direção. Até hoje amo essa cena. Só aquela cena já é uma história e tanto. O explosivo que Walt atira na verdade está preso a uma cavilha que é empurrada em direção à câmera naquela cena.

É impressionante porque você queria que o explosivo atingisse o ponto exato do quadro. Então, em vez de ficar jogando várias vezes, eles construíram essa cavilha, que é uma ripa de madeira, que o leva ao ponto exato da câmera. Só isso já era uma coisa; eu nem tenho tanta certeza sobre como ela inventou aquilo. Mas foi brilhante e eu gosto muito dessa cena". — **Vince Gilligan**

Em explosões, caos e estruturas atômicas, tudo parece com um tipo de fumaça

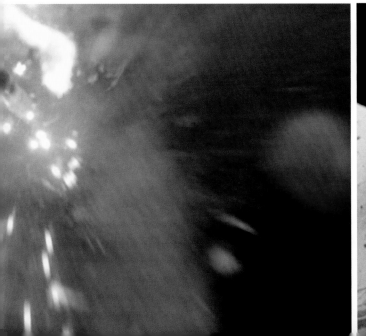

Locação, locação

Novo México: Um personagem vivo

As amplas e desoladas paisagens do Novo México trazem uma beleza austera e incomparável para a série. As impressionantes planícies e montanhas ao redor de Albuquerque se tornaram um outro personagem, funcionando como um símbolo da luta de Walt do homem contra a natureza. Michael Slovis explica:

Michael Slovis: As panorâmicas e amplas tomadas ambientais faziam parte do conceito original do programa e eu sou muito fã de incluir os personagens em seus arredores. O lugar da ação (a locação) em um filme não é arbitrário; é intencional e, portanto, é um personagem do programa, e ganhamos muito ao ver nossos atores se movendo nesses espaços. Vince sempre disse que essa série é um western, então sempre que falávamos dessa abordagem, as referências eram os filmes de Sergio Leone. Se você assistir aos filmes dele verá o quanto o nosso programa é uma homenagem. Nós quase sempre trazíamos lentes telescópicas, elevadores articulados e Condors [dispositivos para erguer a câmera] para conseguir fazer a câmera subir bem alto. Nós também procurávamos prédios (em áreas urbanas) e topos de montanhas para conseguir pontos de vantagem. Filmá-los era quase sempre uma espécie de desafio já que nem sempre tínhamos necessariamente a luz ideal, devido às limitações de orçamento e de cronograma. Nesse caso, eu 'massageava' a imagem com filtros na frente das lentes para obter o quadro o mais próximo do que eu queria e do que a história exigia.

Como John Wayne no final de *Rastros de Ódio*, Walt anda no Oeste desolado. Como Wayne, ele não tem mais casa para ir.

O estilo altamente saturado do México

A técnica do diretor de fotografia Michael Slovis de aplicar filtros específicos de cor para dar o tom do México deixou uma impressão duradoura nos fãs. Nessas fotos dos Primos você pode conferir o efeito que o filtro quente Straw produziu no tom geral e na saturação das imagens, tanto no México como quando os Primos vão para o norte, em Albuquerque, em busca de vingança por Walter ter tido um papel na morte de seu primo Tuco.

Michael Slovis: Na pré-produção, procurei Vince com a ideia de que já na primeira imagem o público deveria saber que aquela era uma temporada completamente nova. Enquanto a história se desenvolvia, vi que o México teria um papel muito importante, seria o papel recorrente no arco de toda a temporada, e eu o abordei com a ideia de lhe dar uma cor própria. Vince sempre apoia qualquer ideia que realce emoções e enriqueça os personagens, então fomos procurar uma cor que organicamente faria progredir a história e faria o público se lembrar de onde estávamos. A cor foi obtida usando um filtro Straw na frente da lente da câmera.

Eu não me preocupo com a luz real ou de imprimir um visual de mundo real. [Em "Caballo Sin Nombre" (3x02)], quando os Primos vão à casa [dos White] é quase sempre dia; a maioria das casas pareceria clara. Aquilo não funcionava pra mim. Eu queria produzir uma sensação de ansiedade, queria uma leve tensão. Eu queria um pouco de medo. Veja que há muitas sombras na casa. Elas ganham silhuetas. Quando paramos na geladeira, elas não ficam iluminadas.

ACIMA À ESQUERDA E À DIREITA: A luz do dia fica do lado de fora. Entre e a luz se torna *noir* e desenhada. Casas podem ser armadilhas ou prisões (bem como lares).

PÁGINA AO LADO: Nada surpreende os Primos.

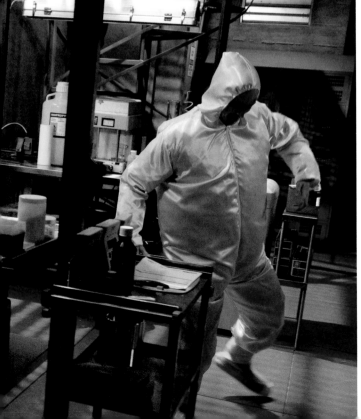

O alto-contraste e exposição do superlaboratório

As cores vibrantes do superlaboratório foram criadas usando luzes suspensas — lâmpadas colocadas em luminárias no teto —, gerando um efeito impressionante que dá às cenas no laboratório seu próprio peso específico. Slovis descreve esta construção:

Michael Slovis: Noventa por cento da luz que filmamos no superlaboratório era construída no set. Isso é bem raro, já que as cenas mais dramáticas na televisão são filmadas individualmente. Essa luz foi considerada desde o início dos desenhos conceituais do laboratório e foi o resultado da colaboração direta entre mim e Mark Freeborn (do design de produção). Mark tem uma consciência aguda em relação à luz e como ela funciona em um cenário e ele é um colaborador de verdade. Devido às dimensões do cenário, sabíamos que os guindastes de câmera seriam usados com frequência, então a maior parte da luz tinha de vir do alto. Eu não sou muito fã de fluorescentes e como queria muitos reflexos nas partes metálicas, conseguimos um visual duro e com alto contraste colocando lâmpadas em pontos do teto. Mark planejou a inserção discreta no ambiente e também instalou lâmpadas pelo perímetro que estavam sempre em cena. Vince e eu criamos o conceito de luz pra "cozinhar" e de uma outra, de "manutenção", para antes de começar a cozinhar.

À ESQUERDA E PÁGINA AO LADO:
O laboratório da escola de Walter era ancestral e mal subsidiado. Ele sempre soube que merecia algo melhor.

Em cena: equipamento especial de filmagem

Não importa se a cena é filmada de dentro de uma máquina de lavar roupa, debaixo d'água ou de um ponto de vista específico, o visual de *Breaking Bad* é próprio. Aqui, Michael Slovis compartilha sua visão como a equipe trouxe esses momentos à vida:

Michael Slovis: *Breaking Bad* foi filmada na película de 35 mm. As câmeras eram grandes e pesadas, por isso, para conseguir que elas ficassem em lugares inusitados como a linguagem visual da série exigia, nós utilizamos muitos equipamentos especiais. Usamos braços telescópicos e tecnoguindastes não apenas para ganhar altura, mas também para mover câmeras sobre superfícies irregulares, molhadas ou pegando fogo. Com muita frequência usamos lentes do tipo periscópio pra chegar em lugares pequenos ou filmar muito baixo. O sistema de lentes Revolution, o sistema de lentes Innovision e o Century Periscope, todos eram parte de nosso repertório. Nós também tínhamos várias lentes para "foco fechado" (que nos permitiam filmar objetos bem pequenos) e deixar o fundo ainda mais fora de foco. Em todas as temporadas, usamos uma variedade de câmeras digitais de alta velocidade, incluindo Weisscam, câmeras Canon 5D e 7D, câmeras Go Pro, câmeras Panasonic HVX 200A, cápsulas para colocar debaixo d'água, caixas de impacto feitas especificamente para explosões ou colisões entre carros e caminhões, alças que permitiam que a câmera oscilasse como se estivesse sendo carregada nas mãos, mesmo que num suporte, e câmeras de filmagem em alta velocidade. Também usamos um elevador com braço telescópico para pontos de vistas muito altos, muitos filtros especiais e uma quantidade enorme de apoios e alças de câmera feitos sob medida para conseguir passar por baixo, por cima e através de paredes, pisos, banheiros, pias, geladeiras etc. Se nós conseguíamos imaginar, os departamentos de arte, construção e técnico davam um jeito de nos levar até lá.

À DIREITA: ao utilizar equipamentos como tecnoguindastes, o diretor de fotografia conseguiu as melhores tomadas de paisagens — para obter um efeito realmente de tirar o fôlego.

PÁGINA AO LADO E ABAIXO: As muitas tomadas criativas e inusitadas de *Breaking Bad* seriam impossíveis sem o uso preciso de suportes de câmera. Esse equipamento especial permitiu que a equipe levasse a cinematografia de TV a um outro novo nível.

Fotografia *time-lapse*

"O ritmo da série lida com o tempo mais lento de um western contra o andamento desesperado da vida de Walt que agora sabe que lhe resta pouco para viver. Com a velocidade da série passando, a fotografia *time-lapse*[1] ajuda os espectadores a se sentirem como se estivessem se movendo na mesma velocidade de Walt por sua vida.

Havia dois tipos diferentes de vídeos *time-lapse*. O primeiro, para sequências intersticiais, era filmado por uma equipe separada com uma câmera de fotos que depois eram importadas para o sistema de edição como arquivos QuickTime. A equipe saía várias vezes durante uma temporada para fazer cenas específicas do programa e cenas de inventário. Se houvesse um ponto da história que precisava desse efeito, o diretor, Vince, e supervisor de pós-produção, se encontrava com os fotó-grafos e produtores para planejar os dias.

O segundo tipo de *time-lapse* que usávamos tinha sequências de verdade da narrativa, com os atores. Fazíamos nós mesmos durante o decorrer do dia de produção, às vezes usando uma Canon 7D com um intervalômetro (um dispositivo eletrônico que registra um número específico de imagens por minuto ou segundo) para captar as imagens, e também ligávamos a câmera com taxas mais lentas de captura de imagem para acelerar a ação.

Esse dispositivo visual funcionava muito bem, pelo que sinto, porque a maior parte do programa movia-se entre o rápido e o lento. Nós chamávamos isso de 'queima lenta', e no minuto em que essas sequências apareciam na tela você tinha que prestar atenção de ver-dade e sentir que estava movendo-se através do tempo rapidamente. Era usada com ótimo efeito para dizer que o tempo havia passado". — **Michael Slovis**

1 Tipo de cinematografia que registra movimentos sutis aos olhos ao acelerar frames de filmagem em pouco espaço de tempo. [NT]

Time-lapses são tão bonitos.
Sugerem que o mundo tem uma vida própria, e um futuro.

Entrevista Vince Gilligan
O CACHORRO DO FERRO-VELHO

Um banheiro químico é um túmulo de plástico com uma descarga. Então economizamos 25 mil dólares — como vamos gastar isso?

Quanto o custo e outros fatores afetaram a qualidade das filmagens?

Custo é sempre um fator quando você está fazendo um filme ou, nesse caso, um programa de TV. E eu, por acaso, não faço diferença entre filmes e programas de TV: a única diferença é que um filme tem uma história que vale duas horas e um programa de TV vale centenas de horas. Mas eles usam o mesmo equipamento e os mesmos métodos de narrativa. E eles sempre têm limites. Sempre há um número finito de tempo e dinheiro para que você conte sua história visualmente. E quase sempre caras como eu reclamam da falta de dinheiro que temos disponível, mas se eu tiver que ser realmente honesto tenho que dizer que estes limites às vezes fazem um programa melhor.

Vou dar um exemplo: tínhamos um episódio na segunda temporada em que Jesse estava perdido. Ele havia perdido sua casa, estava vagando por aí, tentando achar um lugar para passar a noite. Ele termina em um ferro-velho onde o trailer, o laboratório de metanfetamina, estava estacionado. E então ele vai dormir, ou pelo menos é o que quer. Mas ele tem que escalar essa cerca bem alta. Na versão original do roteiro — escrito por Sam Catlin, que fez um ótimo trabalho —, Jesse sobe essa cerca e chega ao outro lado e os cachorros do ferro-velho o atacam, rasgam suas calças, o perseguem até o trailer e o mantêm preso ali.

Eu me lembro de pensar nisso na época. "É, essa é uma ideia perfeitamente

utilizável. É um ponto de roteiro perfeitamente bom: vamos filmar." Karen Moore, nossa gestora de produção na época, e Stew Lyons, nosso gerente de unidade de produção, voltaram para mim depois que leram o roteiro e disseram: "Tá bom, um cachorro? Você quer conversar sobre o cachorro? Custa 25 mil dólares". O cachorro ia custar 25 mil. E eu respondia: "Você tá brincando, é sério? Explica pra mim". Eles responderam: "Bem, é assim: estamos em Albuquerque, Novo México. O único lugar que tem uma profusão de talentos naturais, opções para talentos em treinamento de animais como deve ser feito, é Los Angeles ou a região ao redor. Há muitos bons treinadores que têm muita experiência com animais para o cinema e para a TV. Então temos que encontrar alguém que conhecemos, alguém muito bom, alguém com quem possamos contar. E nós vamos ter de contratá-los para treinar um animal específico que faça precisamente o que precisamos que ele faça e fazer isso repetidamente, tomada após tomada, de uma forma que não machuque o nosso ator. E então temos que ter um cachorro reserva caso o primeiro cachorro decida não querer trabalhar naquele dia. E então teremos que transportá-los de avião 1,3 mil quilômetros para além do sul da Califórnia. Vinte e cinco mil dólares é uma pechincha!".

Exceto que, eis as más notícias, nós não tínhamos esse dinheiro. Estávamos

no limite com esse episódio. Não acho que íamos conseguir. Por isso, Sam Catlin e eu estávamos na locação, em um ferro-velho, olhando ao redor e pensando: "O que vamos fazer? É só um cachorro. O que mais podemos ter?". E olhamos para o outro lado da rua. Na pura sorte, ali havia literalmente 5 mil banheiros químicos. Sério, parecia uma instalação de arte, como se Christo[1] tivesse inventado aquilo. Intermináveis fileiras de banheiros químicos. Era onde a cidade de Albuquerque os guardava para quando houvesse grandes eventos públicos.

Pensamos: "Que diabo é isso que estamos vendo?". E então: bum! A ideia veio. Jesse tem que pular a cerca — é uma cerca dura de escalar, tem arame farpado no topo. Ele procura por um ponto onde seja mais fácil pular ou algo para subir e encontra um banheiro químico. Então ele chega no teto dessa coisa, mas o teto é muito frágil e ele o atravessa: bum! Ele sai pela porta e tem um líquido azul por todo lado. É completamente nojento. Então falamos isso para nossos produtores e nosso maravilhoso coordenador de efeitos especiais disse: "Acho que dá pra fazer isso por 5 mil dólares. Talvez até menos". E eis que foi isso que fizemos. ●

---

1 O artista plástico Christo Vladimirov Javacheff ficou conhecido por suas instalações que envolviam milhares de cópias de um mesmo objeto. [NT]

AMPLITUDE

06

"Tem, tipo, equalização barométrica. Que se ajusta automaticamente às mudanças, tipo, pressão do ar e não sei o que mais. Tem um amplificador de tubo digital totalmente a vácuo, que é de longe o melhor pra antidistorção. Chega a 120 decibéis sem esforço. Se segurem, *bitches*."

JESSE PINKMAN | 4x02

A música fornece tanto um peso emocional quanto uma assinatura temporal para uma cena, por isso cada peça musical deve ser selecionada com o objetivo de obter o máximo impacto. A amplitude da música em *Breaking Bad* vai de sons clássicos ao pop, rock, hip-hop e paisagens sonoras mais experimentais. Às vezes, o fantasmagórico quase silêncio do deserto — com seu vento em brasa e insetos zumbindo — é a única música em uma cena.

Thomas Golubić, Supervisor musical

Em *Breaking Bad*, nossa abordagem em relação à supervisão musical teve início e fim com os personagens e a história. Nós não usamos música para lançar bandas ou promover vendas de álbuns; nossa intenção sempre foi usar a música como apoio à história de Walter White e para contribuir com a experiência narrativa. Falando de forma genérica, a música deveria levar o público mais profundamente em um dado momento, e não distraí-lo dele. Houve ocasiões em que usamos as músicas como uma forma de alívio num momento particularmente pesado da história ou como uma oportunidade para dar apoio às montagens em que o tempo era compactado enquanto ilustrávamos o processo de cozimento. Às vezes usávamos música como contraponto à ação na tela e em outras horas para sutilmente reforçá-la. Mais importante, tentamos nos manter fiéis aos personagens, fiéis à sua cultura e sempre fiéis ao mundo de *Breaking Bad* que criamos.

Nós usamos música de forma moderada em *Breaking Bad*, tanto canções quanto trilhas. Nada na série era acidental, pensamos muito e tivemos muito cuidado em cada momento musical. Uma vez que recebíamos os roteiros, começávamos a dividi-los cena por cena, marcando fontes potenciais e momentos para trilhas. Criávamos mixes de música para os roteiristas, produtores e diretores quando eles estavam se preparando para sequências visuais em que víamos potencial para música. Além disso, nós quase sempre dávamos mixtapes para alguns dos atores ouvirem como preparação para as cenas. Quando as imagens de um episódio estavam prontas (antes de irem para edição), os integrantes do time de *Breaking Bad* se reuniam para o *spotting*.[1]

À ESQUERDA: Walter — Bryan — rindo ao ser levado para outro nível. Quando você ouve de perto, esquece da visão.

PÁGINAS ANTERIORES: Música no filme é outra luz — banha um personagem ou o torna frio. Jesse, descansando, parece destruído.

1 Quando a equipe e o compositor se reúnem para assistir ao filme juntos e decidir em que momentos a trilha sonora entra. [NT]

Esse grupo incluía o *showrunner* Vince Gilligan, as produtoras executivas Michelle MacLaren e Melissa Bernstein, os editores Kelley Dixon e Skip Macdonald (dependendo de qual episódio), os produtores de pós--produção Diane Mercer e Andrew Ortner, o supervisor de edição de som Nick Forshager, a supervisora de ADR (gravação de diálogos adicionais) Kathryn Madsen, o compositor Dave Porter, o editor de música Jason Newman e eu. Vince Gilligan puxava a sessão criativa e, juntos, estabelecíamos qual papel a música, os efeitos sonoros e os ADR teriam no episódio.

Séries realmente boas vêm de grandes lideranças mais do que qualquer coisa. Vince Gilligan é o melhor líder com quem já tive o prazer de trabalhar. Ele poderia governar um país. Foi a clareza de propósito na narra-tiva e a confiança de Vince em seus colaboradores que tornou o trabalho melhor para todos nós. Para mim, não há experiência melhor do que aquele momento divino — às vezes, bem tarde da noite — quando encontrá-vamos AQUELA CANÇÃO PERFEITA para uma cena em *Breaking Bad*. Foi o trabalho mais desafiador e mais recompensador que já tive.

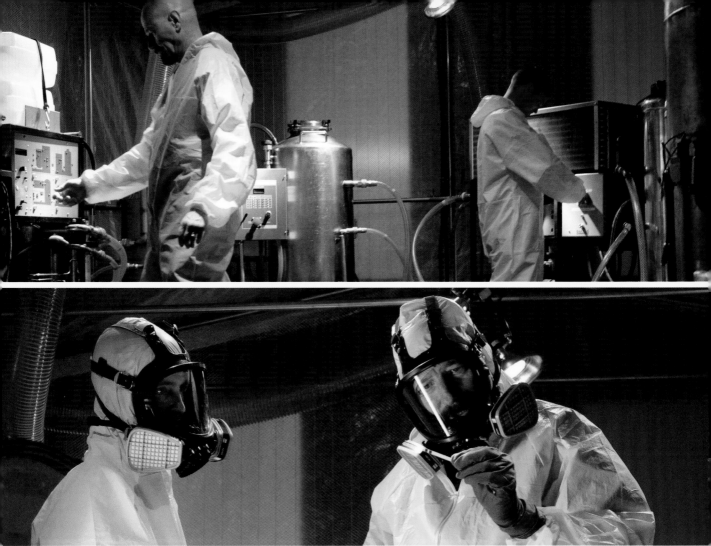

Um dos grandes prazeres em *Breaking Bad* foi trabalhar em nossas sequências de montagens. Além das montagens sobre cozimento, que tínhamos em vários episódios, nós também tínhamos que explorar Jesse, Badger e Skinny Pete vendendo as pedras e Walt desenvolvendo seu império de drogas. Mike colocando escutas, Hank trabalhando em seu processo investigativo e Skyler escondendo dinheiro, entre outros momentos-chave na série. Montagens são uma forma maravilhosa de contar uma história complicada de um jeito dinâmico e eficaz. Elas também são vitrines para a bela cinematografia de Michael Slovis e as impressionantes habilidades de edição de Kelley Dixon e Skip Macdonald e também de Lynne Willigham e nós estimamos ter colaborado com esses caras muito talentosos.

PÁGINA AO LADO E ACIMA: *Breaking Bad* trabalhou bem o recurso das montagens na representação do cozimento de metanfetamina como uma forma de fazer a história avançar e armar algumas cenas verdadeiramente belas.

Uma montagem que me vem à mente como sendo ressonante e desafiadora foi a sequência em que o trailer é destruído no episódio 3x06. Essa montagem acontece depois de uma sequência bem intensa em que Hank está prestes a pegar Walt e Jesse e eles estão encurralados em seu próprio trailer. Depois de ter despachado Hank em uma estratégia verdadeiramente terrível, a montagem mostra Jesse e Walt, muito solenes, assistindo a seu amado trailer ser destruído, com todas as provas de seus crimes. O trailer tinha sido essencialmente um personagem importante na série — que se tornou mais uma vítima na longa lista de parceiros de Walter White. Nós descobrimos esse grupo cubano de *doo-wop* do meio dos anos 1960 chamado Los Zafiros e sua canção "He Venido" realmente captura uma adorável tristeza e romance; eles estão dizendo adeus a um velho amigo.

Um dos momentos musicais favoritos, tanto meu quanto de Vince, é do último episódio da quarta temporada em que Gus entra cheio de propósito na casa de repouso em que seu arqui-inimigo, Tio Salamanca, vive. Como um clássico mito grego, Gus marcha com convicção, pronto para sentir o gosto da vingança, mas Walt havia virado o jogo ao amarrar uma bomba à cadeira de rodas de Tio, que o velho detona ao acionar sua campainha, matando Gus, o capanga de Gus, Tyrus, e a si mesmo. Encontramos a música "Goodbye", de um artista eletrônico alemão chamado Apparat, e o que tornava "Goodbye" tão especial era que a canção tinha um tom sombrio discreto, ameaçador e perigoso, mas também uma leve menção à tristeza, que realmente captura a essência daquela sequência perfeitamente.

ABAIXO: A dinâmica entre Walt e Jesse está sempre em fluxo. Você nunca sabe qual dos dois é o professor e qual é o aluno. Dizendo adeus ao trailer.

PÁGINA AO LADO: A campainha de Tio, tão preciosa, tão ameaçadora. Os roteiristas mantiveram durante um ano um cartão na parede em sua sala de trabalho que apenas dizia: "DING... BUM!".

No episódio final da primeira temporada, terminamos a série com uma música do Gnarls Barkley que ainda não havia sido lançada, "Who's Gonna Save My Soul" ["Quem vai salvar minha alma?"]. Quando eu a ouvi, pensei: meu Deus, a letra é absolutamente perfeita. Nós precisávamos de uma canção que encerrasse a temporada de um jeito forte e realmente capturasse a noção de que Walt e Jesse agora estão muito além da própria compreensão. Originalmente seriam nove episódios, mas uma greve de roteiristas cortou a duração daquela primeira temporada. Jesse originalmente morreria no episódio 1x09 e quando a greve dos roteiristas aconteceu, fomos forçados a terminar a temporada em sete episódios, salvando o personagem de Jesse de uma morte prematura e trágica.

No final do episódio 1x07, Walt e Jesse observam o gângster Tuco surrar um de seus capangas até matá-lo, e decidiram usar a câmera em um guindaste para extrair mais dessa cena do que originalmente havia sido previsto. Quando estava no Sundance Film Festival, encontrei com meu velho amigo Daniele Luppi, que havia acabado de trabalhar com Danger Mouse e CeeLo Green no próximo

disco do Gnarls Barkley. Por meio dessas relações e com as editoras musicais facilitando para o nosso orçamento limitado, nós pudemos criar algo verdadeiramente especial e único para o fim da primeira temporada. A canção traz um respiro de nova vida à sequência e faz o momento tão ressonante e forte quanto nós esperávamos.

No episódio 2x10, usamos "DLZ", do TV on the Radio, para fechar um episódio vital em que Walter White verdadeiramente deixa de ser um professor para se tornar Heisenberg. Enquanto para em uma loja de utensílios, Walt primeiro passa um sermão e depois ameaça um concorrente local de anfetamina para que, "fique fora do meu território". Eu encontrei a música às três da manhã e ninguém estava acordado para que eu compartilhasse meu entusiasmo à exceção do meu gato confuso, e achei que ela era tão perfeita que eu não queria ouvir mais nada. Por algum milagre e muita colaboração entre as cenas, finalmente conseguimos que ela acontecesse. Ela me parece um momento icônico da série hoje.

ACIMA: "Who's Gonna Save My Soul?" Você me salva e eu te salvo.

"Enquanto fazia compras em uma loja de utensílios, Walt [...] ameaça um concorrente local de anfetamina: 'Fique fora do meu território'. Eu encontrei a música às três da manhã e ninguém estava acordado para que eu compartilhasse meu entusiasmo à exceção do meu gato confuso."

— THOMAS GOLUBIĆ

No episódio 2x10, "Over", Walt fala e anda como um chefão das drogas pela primeira vez.

No episódio 2x07, nós começamos com um clipe em espanhol no estilo de um *narcocorrido*. Vince Gilligan nos perguntou sobre um clipe de *narcocorrido* que ele havia visto recentemente e sugeriu que criássemos um para Heisenberg. Eu conheço o gênero, mas não os vídeos loucos (e sugiro uma busca no YouTube para aqueles que se interessam), que parecem ser caseiros e editados de forma crua, completados com efeitos especiais saídos direto dos anos 1980. A música quase sempre tem um acordeão e uma tuba, entre outros instrumentos, e soa muito parecida com a música "um-pah um-pah" dos alemães.

O episódio era sobre a "construção de uma reputação" no jogo das drogas e Vince queria usar um clipe de *narcocorrido* personalizado — "A Balada de Heisenberg" — como uma abertura verdadeiramente bizarra para o episódio. Em vez de tentar criar uma versão ainda mais

Se um filme tem música, por que não vemos os músicos tocando, como em um velho filme mudo?

tosca copiada por nós mesmos, decidimos contratar um compositor de *narcocorridos* conhecido. Robert Isaac da emissora Telemundo nos apresentou ao pai do gênero, Pepe Garza. Pepe pegou as letras de Vince Gilligan e as adaptou ao formato *narcocorrido* e nos entregou uma canção incrível. Por meio de Nir Seroussi da Sony Music Latin, encontramos o Los Cuates de Sinaloa, uma banda de Phoenix, no Arizona. Gravamos uma canção em uma discreta casa de subúrbio em Burbank e então voamos para Albuquerque para gravar o clipe com a banda, que foi bem divertido. Terminou como um dos mais memoráveis momentos "que porra é essa?" de *Breaking Bad*.

Nesta entrevista, o cantor Gabriel Berrelleza e o empresário José Juan Segura explicam como os *narcocorridos* louvam os traficantes de drogas sem glorificá-los e por que cantar uma balada para Heisenberg é só mais um dia no escritório.

O que exatamente é um *narcocorrido*?

JJS: Um *corrido* é uma história musical tirada da vida real. Pode ser sobre um acidente trágico ou exaltando uma pessoa. Muitas canções eram sobre migração e contrabando. *Narcocorridos* são baseados em casos relacionados ao tráfico de drogas. Um traficante pode ser popular porque as pessoas sabem que ele tem cérebro para os negócios. Muita gente acha que os *narcocorridos* são os únicos que podem desafiar o governo. Para eles é como um filme de ação. Quem vence no final é o mocinho. E para essas pessoas, o governo é o vilão.

Então esses traficantes de drogas se tornam heróis populares?

JJS: O que acontece é que as pessoas nos cartéis podem até ser *más* pessoas fazendo coisas *más*, mas eles também ajudam as pessoas do campo e dão a elas o que não conseguem obter do governo. Nas pequenas fazendas que eles utilizam para cultivo e empacotamento, os capos fazem questão de ter certeza de que não faltará nada para essas pessoas. Então as pessoas cuidam deles. Para essas pessoas não há outra opção. A polícia mexicana é corrupta, eles não podem contar com ela para conseguir ajuda.

Quando vocês foram abordados para compor um *narcocorrido* sobre um gringo chefão das drogas na ficção, acharam a premissa ultrajante?

GB: Amamos a ideia de um "capo gringo". Era diferente, não parecia nada que já tínhamos visto. Mas não é impossível de imaginar que poderia acontecer. É um negócio e negócios dizem respeito a estar à frente da concorrência. Onde há uma lacuna, alguém sempre aparecerá de onde menos se espera.

Vince Gilligan coescreveu as letras para "Negro y Azul". Como vocês colocaram música nela?

GB: Pepe Garza, um compositor bem conhecido, escreveu a música para nós. E ele apenas tratou da mesma forma que sempre trata nossos assuntos. Você olha para a pessoa, vê o que há de incomum, olha para a história e acha uma forma de fazer um comentário esperto sobre ela. No caso do gringo que era chamado de Heisenberg, você conta sobre o que as pessoas estão falando sobre ele. As pessoas sabem do produto, que parece mágico, com sua cor azul incomum. Ele é misterioso, porque ninguém nunca o viu e nem sabe seu nome de verdade, o que o torna mais poderoso. Mas no fim ele desrespeitou os cartéis e está perdido. Como a música diz: "Esse homem está morto, ele só não sabe ainda".

É estranho cantar uma música sobre um personagem fictício?

GB: Na verdade, você nunca canta do ponto de vista da pessoa sobre a qual está cantando. Sua perspectiva como cantor é sempre a mesma: do lado de fora. Você é como uma testemunha, observa o que acontece e percebe os detalhes importantes e então comenta sobre isso. Com todas as coisas que os traficantes fazem, sempre há muitas pessoas assistindo que sabem o que está acontecendo, mas nunca admitiriam. O truque nessas músicas é fazer com que as pessoas saibam os detalhes, de quem estava onde e o que eles fizeram, mas sem admitir que você estava de fato presente. Então cantar sobre os rumores que estão circulando sobre esse gringo misterioso não é tão forçado assim.

Os *narcocorridos* são acusados de glorificar o tráfico de drogas. Como você responde isso?

GB: Não encorajamos o crime. Há muitos *corridos* que têm mensagens, que alertam o público sobre o mal que as drogas podem fazer. O que fazemos é dar as notícias. Traficantes de drogas estão por toda a parte e nós estamos apenas dando informações sobre quem está no topo, o que estão fazendo, os problemas em que eles se metem. São as notícias da noite tocadas como música. Também fazemos músicas de amor, músicas de festa. Mas os "*corridos pesados*", as canções que contam histórias sobre traficantes de drogas, são as mais populares e as mais comentadas pelas pessoas. ●

Algumas das melhores ideias vieram das *spotting sessions* de música, assistindo ao episódio juntos, quando ocorriam verdadeiras epifanias criativas. No episódio 4x03, estávamos com dificuldade para costurar três cenas entre si. Uma mostrava Jesse numa pista de kart e para ela queríamos que a música fosse a do sistema de som do lugar; então acompanhamos Jesse no caminho de casa e finalmente terminamos com uma festa pesada rolando em sua casa. O sentimento básico é que Jesse, destruído pela culpa, faria qualquer coisa para não ficar sozinho com seus pensamentos. A festa contínua em sua casa deu muito errado, mas ele encontrava paz dentro daquele caos. Nessa *spotting session*, decidimos usar uma única música que alinhavaria esses momentos e procuraria capturar o que estava acontecendo na cabeça de Jesse de forma sucinta. A canção "If I Had a Heart", da artista Fever Ray (Karin Dreijer Andersson da banda sueca The Knife) capturava esse momento de forma maravilhosa.

Ideias de música também vinham dos roteiristas ou do próprio Vince Gilligan. Tivemos dificuldade para achar o tom certo para uma sequência incrivelmente violenta de execuções em prisões no final da primeira metade da quinta temporada. Vince tinha encontrado e sugeriu usarmos uma jovial canção de Nat King Cole de 1962 chamada "Pick Yourself Up", o que pegou todo mundo de surpresa mas terminou sendo a escolha absolutamente correta. Eu fico tão feliz que foi essa que foi parar lá, como acho também que os fãs ficaram. Parece completamente contraintuitivo, mas não consigo imaginar essa sequência com nenhuma outra música.

A música fala sobre os sentimentos em uma cena.
Mas se é assim que o personagem se sente, como nos sentimos?

Dave Porter, compositor da série

Como compositor da série *Breaking Bad*, criei a música original para o programa. Isso incluía a música de abertura do seriado, a que encerrava e que funciona como trilha sonora através de cada episódio. Eu compunha, orquestrava e gravava cada peça nova, que, em seguida, era avaliada pelos produtores da série. Quando a música era aprovada, eu mixava e produzia para obter o formato final usado no programa. Para *Breaking Bad*, optei por evitar uma paleta tradicional de orquestra e usei em vez disso instrumentos étnicos, sons aleatórios e uma variedade de sintetizadores novos e clássicos.

O processo começa em cada episódio com uma sessão em que assistíamos à exibição do episódio gravado. Nessas sessões, Thomas Golubić e eu nos reuníamos com Vince Gilligan, o editor de imagens e outros produtores para discutir quando e onde gostaríamos de usar música. Igualmente importante para nós eram os momentos em que escolhíamos não usar música. Uma vez que identificávamos os lugares onde a música seria usada, nós decidíamos se aquela música seria uma composição original ou se usaríamos músicas licenciadas. No final daquela reunião eu sabia minhas missões da semana.

Quando sento para compor minhas obras em estúdio, sempre começo com um metrônomo. O tempo certo é crucial quando estamos compondo músicas para imagens. Depois disso, é muita improvisação e tentativa e erro até que as coisas comecem a se encaixar no lugar certo. Minha rotina habitual girava ao redor de completar um episódio a cada semana, o que me dava cerca de quatro dias para criar a trilha de cada episódio, mais um dia para quaisquer revisões e mudanças de última hora antes que eu mixasse e mandasse para ser posto na série. Vince Gilligan fomentava um ambiente colaborativo e criativo que realmente me permitiu explorar o universo sônico de *Breaking Bad*.

A música tema do programa é uma obra musical consistente que aparece em todo o episódio. O som ressonante da guitarra nos coloca no Sudoeste dos EUA. Minha ideia com o tema era que ele seria representativo não de onde Walter White está no começo da série, mas no que ele vai se transformar. Assim o tema é intencionalmente brusco e agressivo. Em contraste, no início da segunda temporada, eu tive que criar uma nova versão do tema de *Breaking Bad* para fechar os episódios enquanto aparecem os créditos finais. Enquanto o tema está sempre presente, as peças dos créditos finais são planejadas para refletir os desenvolvimentos da história no último episódio e, portanto, variam bastante no tom e na orquestração.

Uma das coisas que nós realmente tentamos fazer com a música... é amarrar as várias pessoas e pontos do roteiro e personalidades no programa. Nós não tínhamos muito claro se chegaríamos a usar temas musicais, mas tínhamos paletas musicais específicas e sons e instrumentos específicos que usávamos quase sempre para diferentes personagens. Todos os personagens passam por transformações de formas variadas no decorrer do programa, então não queria amarrá-los a temas constantes que não poderiam evoluir com eles. Eu estou primariamente interessado em envolver o público em um mundo que é distintamente *Breaking Bad*, mas às vezes eu tenho usado paletas ou instrumentos específicos para alguns personagens. Por exemplo, os irmãos mexicanos assassinos ganharam uma trilha inspirada em tambores e percussão astecas; Walter White às vezes aparecia ao som de instrumentos asiáticos característicos, como o gamelão e o koto; e Jesse com guitarra processada e pianos elétricos.

Árvores invernais, o pálido céu azul e um homem aprisionado entre ser corajoso e ter medo, um vagabundo e um gênio.

INSTRUMENTOS DAS PALETAS SONORAS

WALTER WHITE

Instrumentos asiáticos ou de inspiração oriental dão o tom de nosso protagonista Walter White. Especificamente o koto japonês faz sua presença bem reconhecida com muita frequência assim que Walt põe seu chapéu de Heisenberg.

JESSE PINKMAN

Guitarras e instrumentos inspirados pelo rock preenchem o espaço sonoro de Jesse Pinkman.

OS PRIMOS

Para combinar com o clima pesado e ameaçador dos Primos, Dave Porter escolheu trabalhar com vários instrumentos de percussão mexicanos e reproduções de tradicionais apitos de guerra astecas para acrescentar um efeito de gelar os ossos.

GUSTAVO FRING

Uma flauta andina chamada quena era usada com frequência, bem como jazz, para preencher o espaço enquanto todos nós nos perguntávamos quem de fato Gus era e o que ele era capaz de fazer.

Paletas musicais dos personagens

Thomas Golubić explica os processos mentais que o levaram à criação de paletas musicais para cada um dos personagens da série.

Walter White

Decidimos desde o início que Walt não seria "um cara musical", apesar de, provavelmente, ele achar que é. A curiosidade de Walt em relação à música se interrompeu nos seus anos de ensino médio, o que o deixou preso nos anos 1970 ouvindo artistas como Boz Scaggs ou Steely Dan. Em um momento-chave para Walt, no episódio 3x02 (mais tarde chamado de "Caballo Sin Nombre"), nós o colocamos para cantarolar com "A Horse with No Name", do America. Não há muita gente que considere que essa música seja legal, mas Walt acha que é.

Apesar de não termos Walt ouvindo muita música, nós sempre imaginamos que se ele tivesse um cômodo tranquilo em sua casa em que ele pudesse ouvir música, ouviria R&B e *soul* bem pesado. Acho que ele tem uma afeição natural com música que é emotiva e triste, mas não seria algo que ele compartilharia com outras pessoas. Há algo realmente verdadeiro e acolhedor sobre a música que mexe com Walt — mesmo que ele nem tenha uma grande coleção de discos.

Jesse Pinkman

Para Jesse, música reflete suas qualidades aspiracionais. Enquanto Walt como personagem se transforma durante a série, o mesmo não acontece com seu gosto musical. Com Jesse, contudo, usamos música para mostrar seu desenvolvimento e as transformações em suas circunstâncias. Quando nós o conhecemos, ele é um *poseur* que quer ser gângster. Ele ouve hip-hop pesado, que felizmente é acessível para ser licenciado. Na segunda temporada, Jesse se apaixona por Jane e começa a se inclinar mais para reggae e música jamaicana, em sintonia com sua recém-descoberta doçura. Tivemos a oportunidade de apresentar Yellowman,

3x02 | "Horse with No Name"

3x08 | "Shimmy Shimmy Ya"

um maravilhoso artista de *dancehall* dos anos 1980. Misturando os dois mundos, usamos um cover caribenho de "Shimmy Shimmy Ya", do Ol' Dirty Bastard, enquanto Jesse está entediado no superlaboratório ou só de bobeira. Depois que Jane morreu e Jesse regrediu, nós levamos seu gosto musical para um território mais sombrio. Virou música de festa para niilistas e viciados, incluindo hip-hop mais agressivo, dubstep e outras formas de música eletrônica.

Skyler White

Bem como Walt, sempre vimos Skyler como alguém que nunca evoluiu da música de que ela gostava no ensino médio. Ela é uma década mais jovem que Walt, o que a deixou no mundo pop dos anos 1980. Era um tipo de som que explorávamos ocasionalmente na casa dos White, mas com mais frequência depois que Skyler assumiu a gerência do lava-rápido na quarta temporada. Um momento-chave aconteceu no último episódio da primeira metade da quinta temporada, quando Hank percebe que seu cunhado é o criminoso que ele vem perseguindo por todo esse tempo. Eles estão fazendo churrasco e

Skyler está tocando o disco *Singles* do Squeeze. "Up the Junction" faz pano de fundo num momento particularmente ressonante no final do episódio e "If I Didn't Love You", do Argybargy, aparece no começo do outro.

Walter Jr.

Infelizmente nunca tivemos uma chance de explorar o som de Walter Jr. Só tivemos poucos momentos para usar música que refletia a raiva latente de um adolescente em crescimento.

Hank Schrader

O que sabemos sobre Hank é que ele é um machão e provavelmente vinculado à música regional, ouvindo rock clássico, country e blues. O pessoal talentoso do figurino o colocou usando uma camiseta de show de Delbert McClinton em um episódio e acho que isso captura muito bem seu gosto.

Uma vez fizemos uma lista enorme de músicas que achamos que Hank ouviria. Nunca usamos nenhuma delas, mas nos ajudou a descobrir quem é Hank e nos dar uma boa ideia em relação às influências musicais regionais em Albuquerque.

5x08 | "Up the Junction"

3x02 | **Angústia adolescente**

Marie Schrader

Apesar de termos encontrado poucas oportunidades de explorar o som de Marie, nós estabelecemos que sua música é apenas de relaxamento e ritual. Marie é técnica de raio X num consultório médico e Vince achou que sua música não seria muito diferente do que ela escuta todo dia no trabalho. Marie é pedante em relação aos seus rituais e, durante uma cena de manhã quando ela está deixando uma mensagem para Skyler e cuidadosamente preparando seu café com adoçante, encontramos uma obra *muzak* perfeitamente suave mas não desagradável.

Mike Ehrmantraut

Sempre vimos Mike como um minimalista, alguém que gosta de ter coisas simples e práticas ao seu redor. Ele não tem lugar para música em sua vida porque não tem lugar para conexões emocionais com exceção daquelas relacionadas à sua neta.

Saul Goodman

Como o assunto de Saul é sua personalidade mais do que qualquer outra coisa, nós usamos os frequentes visitantes em sua desesperada e triste sala de espera para explorar um *loop* infinito de hinos patrióticos cafonas e marchas. Sempre imaginamos que a sala de espera do escritório de Saul fosse uma espécie de círculo interno do inferno, com um som que fosse insuportável para combinar.

Gus Fring

Descobrir o gosto musical e a personalidade de Gus Fring foi um desafio bem interessante. Nós não sabíamos muito sobre ele e suas qualidades enigmáticas foram desafiadas nas duas cenas em que ele convida primeiro Walt e depois Jesse para sua casa. Decidimos que Gus é um homem muito sofisticado e extremamente bem-educado, além de orgulhoso de suas raízes chilenas. Durante essas sequências de jantar, usamos nossas seleções de jazz latino não apenas para funcionar como trilha sonora realista, mas também para furtivamente amplificar o nervosismo de Walt e Jesse em relação ao cara. Nenhum dos convidados realmente sabia se chegaria vivo em casa e isso é uma linha bem divertida de brincar com a música.

2x08 | Trilha sonora do inferno

3x11 **(ABAIXO)** e 4x09 **(PÁGINA AO LADO)** | Jazz latino

Tenho a impressão de que o Sudoeste é uma grande influência na trilha.
Definitivamente.

Você passou muito tempo no deserto?
Na verdade, não, fora algumas poucas jornadas solitárias à Joshua Tree. Mas isso tem a ver com a forma como você se sente em relação ao deserto. Sou um garoto da Costa Leste e o que eu gosto na utilização do deserto na série é que ele parece tão bonito e ao mesmo tempo tão inóspito e alienígena. É uma forma parecida com a que eu vejo o oceano. É um convite fácil à autoanálise pois você é forçado a fazer isso por causa da magnitude que lhe rodeia.

Às vezes a música parece ficção científica.
Não sei se vai tão longe, mas acho que

um dos meus papéis no programa é ser inquietante, inusitado. Uma das formas que usei para produzir tal efeito foi usar muitos instrumentos que normalmente não são usados na televisão ou combinar instrumentos que você não acharia que encontraria juntos — percussão e gongos com toques asiáticos misturados com kalimbas, chocalhos e tambores da África, flautas e chocalhos nativos americanos e também instrumentos não acústicos, como sintetizadores.

Como você compararia compor a trilha para *Breaking Bad* e para *Saved*, outra série em que você trabalhou?
Acho que fui influenciado pelas diferentes forças desses dois programas. *Saved* era um drama paramédico com muita música que tinha a ver com rock. Para inserir a música naquele mundo, eu mantive um olho na ação visual. Enquanto em *Breaking Bad* eu tive que enfatizar os momentos surreais e a natureza perturbadora do programa. Eu realmente senti que podia me concentrar mais nas relações e nos conflitos entre os personagens e às vezes nos conflitos internos de um personagem: os dois lados de Walt ou em Jesse e o passado de Jesse.

Isso é muito mais íntimo.
Sim. É uma afirmação muito mais justa. Para esse programa eu nunca fui chamado para cobrir uma cena com música só pra amplificar a ação ou

Você já ouviu uma música e disse: "Tenho que colocá-la na série"?
Eu estava muito cauteloso sobre me apaixonar por uma música e ser convencido de que ela poderia entrar na série. Eu ouvia músicas e pensava "Oh, isso é completamente Walt", ou "Isso é algo do Jesse", mas havia tantas peculiaridades no programa. Muitas das músicas não afetam Walt ou Jesse — música do mundo de fora, seja na loja de sapatos ou na de roupas — é

muito bonitinha e entorpecente. É muito fácil, suave, uma qualidade muito autocentrada em relação ao mundo fora deles. O mundo lá fora é um mundo drogado por si só. Tudo é um pouco certinho demais ou agradável demais. E então você tem esse mundo do Walt e do Jesse, que é irregular e explode com um entusiasmo estranho. É a dicotomia entre dois mundos bem diferentes.

Você apresentou vários músicos pouco conhecidos como Darondo, In Crowd e até Rodrigo y Gabriela para

um público maior. E o quarteto de cordas tocando Haydn?**
Não tínhamos muitas oportunidades para música clássica, então quando apresentamos a família de Jesse, pensei: conheço essa família. São caras sofisticados, de classe média alta. Eles vão fazer um jantar bem agradável com música. É um atalho para mostrar uma família que acredita em seus filhos tocando instrumentos como o *piccolo* e crescendo com literatura e música clássica. Também mostra que esses pais forçam muito o mundo que

enfatizar a atuação. Tudo isso já era bom e eu realmente tive a oportunidade de entrar na cabeça dos personagens.

Teve alguma cabeça que foi mais difícil de entrar?

Jesse provavelmente foi o mais difícil porque não queríamos que ele fosse o estereótipo do jovem que deu errado. Ele é muito, muito mais profundo do que isso. Para ele, tentei usar tons e batidas sutilmente mais modernos bem como guitarras e pianos elétricos, todos que eu tratava de alguma forma. E tudo estava dentro dessa minha ideia de fazer tudo ser meio fora de ordem. Se usava piano elétrico, usava um filtro para dar efeito e uma caixa de distorção para fazer com que soasse diferente do esperado.

Você pode me contar mais sobre a música tema do programa?

Fazer uma música que será tema para um programa de TV é bem difícil porque você viu apenas o piloto quando a compõe. E claro que você quer que a música seja representativa da série como um todo — antes da série existir. Tive muitas discussões com Vince sobre a direção a seguir com esse tema. Em determinado momento, tínhamos várias versões possíveis, na verdade. Tentei primeiro umas versões mais cerebrais, porque estava pensando demais sobre os conflitos internalizados. Mas, no final, realmente me concentrei no que Vince me disse sobre a série ter suas raízes em um western pós-moderno. Isso me fez pensar que talvez eu não devesse limitar o tema ao que estava acontecendo no piloto, mas dar uma vislumbrada na escala do que viria. Então o que veio foi algo que começava agressivo. Estranhamente firme. O tema é tocado em um Dobro, uma espécie de ressonador, um violão feito de metal que você associa com o Sudoeste. É tocado de forma muito alta e muito forte, com uma grande mistura de percussão étnica e alguns sons de pedaços de metal tocados como uma assinatura de tempo incomum. Você não pode imaginar o quanto fiquei feliz quando a última cena da primeira temporada terminou num ferro-velho.

Talvez você tenha feito isso acontecer.

Talvez sim. Um fortuito prenúncio sem que eu tivesse intenção.

Os atores influenciam a forma como você trabalha?

Eu me tornei um observador extremamente hábil da testa de Bryan Cranston em busca da ruga à direita de sua testa franzida para saber quando a música deveria começar, ou perito em identificar o exato momento de fadiga ou fraqueza do personagem de Dean Norris. Eles não nos diziam o que deveria ser feito, mas deixavam um caminho bem claro. ●

querem impor aos filhos e, ao fazerem isso, acabam empurrando-os para fora. Aquela peça de Haydn tem um formalismo excessivo. Se eu colocasse algo mais relaxado, algo como Ravel, Jesse provavelmente responderia de uma forma melhor.

Thomas, você não se surpreendeu depois que reuniu toda a trilha sonora ao ver o quanto de reggae que havia no seriado?

No primeiro dia do programa eu nunca diria "ah, vamos acabar com muita música caribenha nisso", mas de uma forma estranha o senso de humor do programa e as sensibilidades dos personagens parecem funcionar muito bem com música caribenha. E temos bandas como o Black Seeds, que é da Nova Zelândia. Quando Jesse estava evoluindo de uma espécie de hip-hop nervoso e cabeça-dura, conhece Jane e se apaixona; isso o levou para outras partes de sua personalidade. Aquele som tem uma doçura romântica. Se você se conecta com essas músicas, sente a perda de Jane ainda mais. ●

FORMAÇÃO DE CARTEL

07

"Isso tem que ser uma história
que venha com tudo, Walt.
É assim que vamos vender isso."

| SKYLER WHITE | 4x04 |

De objetos de cena e figurino aos efeitos especiais e além, a equipe de *Breaking Bad* era criteriosa ao trazer o programa para a vida real na tela. Além de aprender sobre o funcionamento das engrenagens internas da série, nesse capítulo você vai encontrar entrevistas exclusivas com o criador Vince Gilligan, as figurinistas Kathleen Detoro e Jennifer Bryan, o mestre dos objetos de cena Mark Hanson e o chefe dos transportes Dennis W. Milliken.

Design

Muitos 07

Muitos dos ambientes de *Breaking Bad* foram literalmente construídos a partir do nada, começando com as plantas de construção e terminando com os cenários finalizados. Às vezes, havia indicações de que os cenários deveriam se parecer com locações reais, pegando as características de um local que existia e as reproduzindo em estúdio para permitir uma flexibilidade maior nas filmagens (cenários tendem a ser construídos com paredes que podem "voar" — no sentido de que elas podem ser removidas, deixando todo o resto no lugar). Outros foram inventados a partir de referências de lugares reais, mas sem um exemplo específico de mundo real — muitos dos cenários da polícia e do DEA, por exemplo, foram criados a partir de fotografias de departamentos policiais para depois buscar elementos de muitos deles para que o projeto do espaço final fosse completo.

À ESQUERDA: Tudo diz é "Hank Schrader". Mas enquanto você o estuda, você não vê Andy Sipowicz,[1] aparecendo?

À DIREITA: Walter White no cenário mais espartano, em "Granite State" (5x15), o bunker no porão da loja de "reparos em aspiradores".

PÁGINAS ANTERIORES: Uma calma conversa com os White no sofá. Bryan Cranston e Anna Gunn ouvindo a diretora/produtora executiva Michelle MacLaren.

1 Andy Sipowicz era o policial protagonista da série *NYPD Blue*, vivido por Dennis Franz. [NT]

Análise de laboratório

O câncer da metanfetamina se espalha rapidamente e consome tanto aqueles que a fazem quanto os que a utilizam. Para fazer todos os aspectos do negócio das drogas o mais realista possível, agentes do DEA de verdade foram consultados na criação dos laboratórios e procedimentos. O objetivo foi sempre o mesmo: fazer de forma realista sem tornar glamoroso.

Em *Breaking Bad*, houve quatro grandes laboratórios de metanfetamina. Primeiro, o trailer velho apresentou aos espectadores um laboratório difícil de ser rastreado. Nesse cenário caído e desconjuntado, Walt e Jesse pegam a manha um do outro e aperfeiçoam sua fórmula.

Uma vez que as demandas de produção ultrapassam a capacidade de um simples trailer, Gus atrai Walt para trabalhar no superlaboratório personalizado e equipado com o equipamento top de linha. Escondido bem à vista, como o próprio Gus, o superlaboratório limpo e profissional tem seu esconderijo no subsolo de uma lavanderia industrial — o que funciona como um disfarce perfeito para ventilação e o contínuo suprimento de substâncias químicas.

Finalmente, depois que o superlaboratório é incendiado, Walt e Jesse levam sua nova operação autônoma para as residências de Albuquerque sob o disfarce de uma empresa de fachada, a Vamonos Pest. Contratada por proprietários de casas para dedetização contra cupins, Walt, Jesse e sua equipe armam e desmontam o novo laboratório portátil nas casas vagas de seus clientes durante o processo de "fumigação". O novo laboratório é armado, como o trailer, para ser difícil de ser achado e mascara o cheiro nocivo de composto de amoníaco que vem da produção de metanfetamina entre os pesticidas. Esperto e ousado, o novo laboratório é portátil, compacto e eficaz, mantendo as pedras azuis circulando pelo Sudoeste e, finalmente, por todo o mundo. E há ainda o laboratório frio e úmido montado por Jack e Todd em seu galpão, onde Jesse é escravizado para cozinhar quantidades infinitas de metanfetamina azul.

PÁGINA AO LADO E ABAIXO: "Fazer realista sem parecer glamouroso"? Essa é uma descrição perfeita do laboratório e seus processos.

Análise do desenho de arquitetura

Para controlar as condições de filmagem, as equipes de construção e design de produção construíram vários cenários, projetando espaços realistas que também permitissem boas condições de filmagem — um feito nada fácil. E tudo começa com uma planta de arquitetura.

O desenvolvimento de qualquer cenário começava quando o designer de produção se encontrava com Vince — quase sempre dentro do contexto de "reunião de conceito", que dava início às preparações para um episódio específico. Nessa reunião, todos os chefes de departamento discutiam o roteiro com Vince, o diretor, o escritor e os produtores. As necessidades específicas para cada lugar são delineadas para garantir que o "ambiente de convívio" dos personagens parecesse tão genuíno e apropriado quanto possível.

No caso da casa dos White, o designer de produção Robb Wilson King primeiro rascunhou uma base para a casa e uma planta. Uma vez aprovada por Vince Gilligan, o passo seguinte era a construção de um modelo arquitetônico em três dimensões. Todos os detalhes de uma casa de verdade deveriam ser levados em consideração — não apenas os quartos, armários e corredores, mas também elementos práticos como fogões, banheiras, banheiros e pias. Até as formas como as janelas deveriam se abrir e as portas deveriam se mexer tinham que ser pensadas no planejamento anterior à construção. Ao mesmo tempo, enquanto o interior precisa parecer uma obra com uma locação externa de verdade (uma casa em Albuquerque), a planta da casa e do cenário — e o tamanho completo — não são os mesmos, tornando a casa dos White maior por dentro (no cenário) do que é por fora.

Uma vez construídos, os cenários eram decorados cuidadosamente, para passar uma imagem mais específica dos personagens. Detalhes como um garfo e uma faca grandes de madeira pendurados na cozinha ou caricaturas

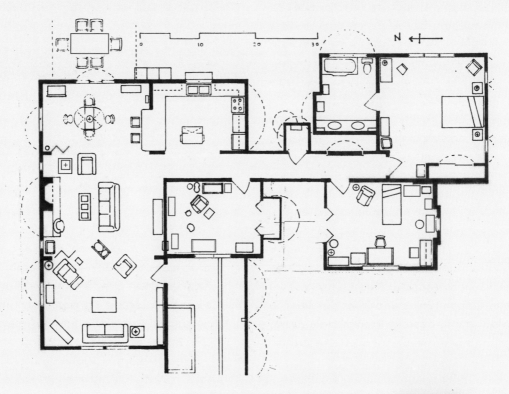

INT WHITE HOUSE DIRECTOR'S PLAN

bregas da família nas paredes davam a oportunidade para o público saber que tipo de pessoas são os White. Esse tipo de narrativa permite uma grande economia, resumindo muitos detalhes sobre o personagem em imagens simples e específicas. O produto final é uma casa rica e autêntica — tão viva como uma casa de verdade.

Por outro lado, a equipe de design também criou ambientes para personagens exagerados, como Saul Goodman. Em seu escritório, uma estética levemente falsa transmite sua personalidade traiçoeira. A espalhafatosa Constituição gigante na parede atrás de sua mesa e uma cópia emoldurada de seu diploma obtido em uma universidade na Samoa Americana revelam muito sobre o advogado porta de cadeia. Usar espuma para construir as colunas não apenas permitia que elas fossem mais leves de forma que daria para "voar" com as paredes mais rapidamente; também tornava os artifícios do mundo de Saul mais jocosamente presentes (especialmente quando Saul encosta nelas e — diferente das colunas de verdade, sólidas — elas se movem).

Nem todos os cenários foram construídos do zero. Sempre que possível, locações de verdade eram usadas

PÁGINA AO LADO: O layout da casa dos White no episódio 5x11. A casa pode parecer simples, mas há muito mais acontecendo sob a superfície do que você pode perceber.

ACIMA: Podemos falar sobre isso? Sim, se você admitir que eu parto do pressuposto da razão. Tudo para evitar olhar para a decoração.

para embasar o mundo da narrativa na realidade. Muitos dos barracos de craqueiros apresentados em *Breaking Bad* eram prédios de verdade esvaziados e depois revestidos para se encaixar no que o roteiro requeria. O "doce barraco" de Tuco no deserto também é um lugar que existe. O designer de produção Robb Wilson King achou que o lugar era tão estranhamente natural e bizarro, uma locação perfeita para desenvolver as cenas tensas e sanguinárias que iriam ser filmadas lá. Da mesma forma, no último episódio da quarta temporada, o gerente de locações Christian Diaz de Bedoya e o designer de produção Mark Freeborn encontraram uma casa de repouso abandonada e sem uso e a redecoraram para transformá-lo no novo lar de Tio (e o cenário do adeus explosivo de Gus).

À DIREITA: Eles não tiveram que construir tudo. O Novo México tinha propriedades vazias, como o "doce barraco" de Tuco.

ABAIXO: Por trás das câmeras com o melhor advogado criminalístico de Albuquerque.

PÁGINA AO LADO: Tio e Gus na Casa Tranquila, na terra encantada.

"Que tipo de homem fala com o DEA?
Homem nenhum. Nada homem. Um velho rato
aleijado. Que reputação para ser deixada.
É assim que você quer ser lembrado?
Última chance de olhar para mim, Hector."

GUS, PARA TIO | 4x13

Figurino e objetos de cena

As designers de figurino Kathleen Detoro e Jennifer Bryan compartilham suas informações internas sobre os guarda-roupas dos personagens e o aderecista Mark Hansen descreve o mundo dos objetos de cena com detalhes.

Figurino

Kathleen Detoro: Como figurinista de *Breaking Bad*, meu trabalho era criar e planejar as roupas para todos os personagens do programa. *Breaking Bad* tinha um elenco de personagens incomum e ali residia o desafio desse projeto particular. Minha escolha sempre foi começar com a silhueta, luz, formato e cor. Achei que esses poderiam ser o arco (o caminho) dos personagens pela história. A cor era utilizada para simbolizar climas e emoções diferentes na história. Os atores entenderam as paletas de cores e silhuetas dos personagens e gostaram.

Inicialmente, para o piloto de *Breaking Bad*, eu criei e apresentei a Vince Gilligan uma paleta de cores que extraí de seu roteiro original, usando as cores para sublinhar o arco dos personagens. Ele disse: "Eu nunca havia pensado nisso antes". Então, nós trabalhamos em conjunto com o designer de produção Robb Wilson King e o diretor de fotografia John Toll para finalizar e entender a paleta de cores do piloto. Eu e John separávamos as roupas ao ar livre para vê-las sob a luz do sol do Novo México — que é uma luz incrível — e avaliar o que aconteceria com o matiz que havíamos escolhido. Em termos de silhueta, havia algumas coisas que queríamos expressar sobre o estado da vida de Walt. Eis um homem que apanhou a vida inteira; até seu nome ilustra esse vazio — "Walter White" é um tipo de personagem feijão com arroz. Ele sempre usava roupas bem conservadoras — calças cáqui, camisa xadrez, suéter de gola larga. Um professor sem graça.

Começamos com uma paleta de cores bem neutra que então se desenvolveu para "camisa verde e calças

de zíper e velcro" quando Walt se encoraja com a própria falta de vergonha. Verde se torna um símbolo de renascimento e vida para Walt.

A cada temporada, havia uma transição interessante em *Breaking Bad*. Na linha do tempo do programa, do piloto ao fim da quarta temporada, só se passa um ano. Então a única razão para mudar o visual das roupas de um personagem era porque algo havia acontecido num "nível interior". A paleta de cores de Walt e sua silhueta vão se tornando mais sombrias enquanto ele avança no mundo da quimioterapia e do tráfico de metanfetamina. Conseguimos isso com cores mais escuras, uma silhueta mais ajustada e magra, e o acréscimo do chapéu Heisenberg.

O chapéu só é usado em algumas cenas — o acessório veio, na verdade, da necessidade de Bryan Cranston de proteger a cabeça raspada do sol! Se tornou um visual identificável com certo estado de espírito. Walt pode ter se tornado mais sombrio, mas ele ainda usava um blusão — em vez de bege, preto.

Jesse, depois de passar pela reabilitação em suas roupas hip-hop, volta para o mundo real amadurecido, numa versão melancólica, quase adulta. E então nunca mais vemos suas roupas de hip-hop. Foi um triste adeus, especialmente à sua coleção de capuzes e gorros.

Falando do Jesse hip-hop: eu tive de contar ao Aaron quando ele veio para sua primeira sessão de guarda-roupas que iríamos trocar seu figurino. Adeus ao hip--hop Jesse que todos amávamos! Mas pensamos em algo que ele poderia usar em seguida que fosse *cool* e divertido. Ele se adaptou muito bem, mas sempre nos empolgávamos quando fazíamos um flashback.

Numa das temporadas, acredito que trocamos as paletas de cores de Walt e Skyler. Walt começou a usar azul e Skyler começou a usar verde — foi provavelmente a época das melhores atuações de Anna, e de alguma forma tornou sua personagem mais assertiva.

A maioria dos atores adapta-se às paletas de cores e silhueta; sempre expliquei a razão e a decisão da mudança, para que ficassem cientes de que não é algo aleatório. Todas as roupas e cores têm um significado especial no programa. Cada detalhe ínfimo de todo figurino tinha um significado e uma história. Enquanto entrávamos cada vez mais fundo a cada temporada, tudo ficava mais denso nessas histórias e significados.

Por exemplo, eu fiz as botas dos Primos. Meu joalheiro, Brevard Inc., fez as pontas. Meu estilista e eu as pintamos nós mesmos de cor de sangue. Todo mundo

PÁGINA AO LADO E À DIREITA: De um suéter de um bom professor para uma inusitada paleta verde; as roupas que usamos nos servem bem e ajudam os outros a nos entender.

deveria estar de acordo sobre o desenho das pontas — desde Vince ao designer de produção, passando por mim e Brevard. Os moldes de cera finalmente foram para a sala dos roteiristas para uma inspeção final antes de serem moldadas em prata. Eram seis pares: era como se elas mesmas fossem personagens. Ao ver aquelas botas você sabia que os problemas não estavam muito longe.

Todas as camisolas de hospital usadas por Walt (ou por quem fosse, na verdade) foram tingidas manualmente por mim. Elas representavam algum estágio que aquele personagem estava atravessando. As roupas da bebê Holly eram as versões pastéis de Walt (verde) e Jesse (vermelho), o que deixaria sempre Holly rosa ou verde. E eu me divertia muito com isso.

Eu também orbitei ao redor do forte uso de tecidos estampados — o xadrez de Walt, as bolinhas de bebê em Holly, as caveiras de Jesse, as listras de Walt Jr., as cores lisas de Skyler, sem mencionar os suéteres com estampas malucas de Bogdan (o dono do lava-rápido).

A respeito do roxo: essa é a cor da super-heroína Marie! Eu sempre me divertia com as roupas de Betsy. Na quarta temporada, acrescentei um pouquinho de amarelo a ela. Houve um episódio doido em que ela pira completamente num vestido com um tie-dye roxo e amarelo — eu amei aquilo.

Como Vince é o criador da série, eu sempre perguntava se ele tinha algo especial em mente. É uma cortesia que gosto de oferecer e então interpreto da maneira menos convencional que puder. Na quarta temporada, quando Hank é suspenso, Vince me pediu uma variação de amarelos que lembrasse pus, além de camisetas deprimentes. Eu tingi todas elas e Dean Norris fez sua parte.

Todos os personagens são meus queridos; seria como ter que escolher um filho. Jesse, Tuco e os Primos eram meus favoritos por permitirem a elaboração de conceitos de design "fora da caixa". Os Primos — quem poderia pedir mais do que eles? Eles tinham ternos prateados personalizados e todas as cores selvagens de camisas

iridescentes de seda feitas à mão. E as botas! Achava que tínhamos que mantê-las trancafiadas. Quando eles aparecem no quarto de Walt com os ternos prateados e um machado enorme, pensei: "Como é possível ficar melhor do que isso?". Tuco era tão divertido: velhos Versace dos anos 1980 completamente enlouquecido.

Seria descuidada se não mencionasse o fabuloso Bryan Cranston, que nunca perdeu o passo ou criou problemas — especialmente em suas cuecas apertadas brancas. Que sujeito. Deus o abençoe. E ele também sempre topava qualquer ideia maluca que nós lhe apresentássemos; ele sempre abraçava.

Quando Walt e Jesse estão presos no deserto fazendo metanfetamina, na segunda temporada, comprei para Bryan centenas de gorros para que ele usasse. E, verdade seja dita, ele provou todos eles.

Falando em chapéus, como poderia esquecer as verdadeiramente incríveis máscaras de rosto com zigue-zague à Charlie Brown que Walt e Jesse usam na fábrica de química na primeira temporada? Eram pretas com um zigue-zague verde pra Walt e um zigue-zague vermelho para Jesse — para completar, um enorme pompom em movimento no alto. Era como se fossem dois coelhinhos loucos roubando produtos químicos para fazer metanfetamina. Um dos meus costureiros em Minnesota os tricotou.

Por tudo isso, *Breaking Bad* se tornou uma experiência tão especial para o desenho de figurinos. Eu recebo e-mails de fãs de todas as idades, de todo o mundo, me perguntando sobre as roupas de A a Z: onde as consigo, como as fizemos etc. É realmente incrível. Me faz ser muito grata a Vince Gilligan, Mark Johnson, à AMC e Sony Studios, que nunca interferiram nenhuma vez em nossas criações! O que me faz pensar: "O que faz uma lenda acontecer?". E em toda entrevista ou encontro me perguntam sobre as cuecas brancas de Walt.

Jennifer Bryan: Quando entrei para a equipe de *Breaking Bad*, tornou-se claro para mim que a abordagem da série em relação ao design era de outro nível. A história das cores e a paleta dos personagens eram tão decisivas para a narrativa quanto as falas ditas pelo nosso elenco.

No início da quinta temporada, isso ficou ainda mais evidente. Eu tinha as paletas de cores mapeadas para a primeira metade da temporada, a maioria em tons médios e escuros e algumas cores para alguns personagens, como Saul e Marie. No episódio 5x08 Marie usa uma blusa amarelo forte e os blogueiros ficaram malucos tentando entender por que ela não estava usando uma peça roxa. Foi a minha forma de pausar: amarelo é precaução, preste atenção, há uma mudança adiante. Fiquei feliz quando percebi quantas pessoas estavam atentas.

Jesse também passou por dramáticas mudanças de vestuário: seu visual *street cred* urbano foi sendo limpo da quarta para a quinta temporada. Reduzi as referências de rua à medida que ele se entendia e percebia que não podia ser tão facilmente enganado pelo sr. White. Casacos com capuz deram espaço a jaquetas de couro mais estruturadas — ainda assim, urbanas e descoladas de um jeito *gangsta*, mas eu deixei que ele parecesse mais sisudo.

Saul, na quinta temporada, continuou um dândi, mas me diverti fazendo-o vestir não só roupas coloridas, mas cores fluorescentes. À medida que ele forçava seus limites legais e seus clientes se tornavam cada vez mais incontroláveis, seus ternos iam o mais distante possível que podiam ir da jurisprudência.

É difícil escolher meu personagem favorito em relação ao estilo. Amo o guarda-roupa reprimido de Skyler tanto quanto a frivolidade de Marie, a ousadia de Jesse, a bizarrice de Saul e o jeito camaleônico de Mike, que nunca tenta chamar atenção para si.

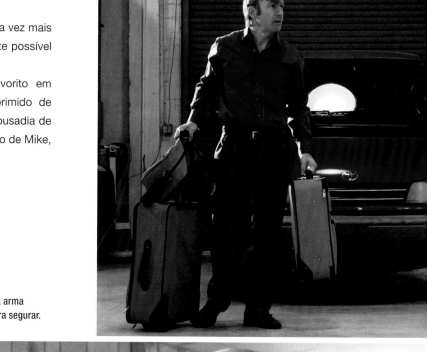

À DIREITA E ABAIXO: Malas de um azul matador ou uma arma necessária — atores e as pessoas gostam de ter algo para segurar.

Entrevista Mark Hanson
ADERECISTA

Como você acha que a escolha de objetos específicos afetou a série?

O programa era sobre os objetos. Eu nunca trabalhei em um programa em que [eles] eram um componente tão importante. Tantos objetos dessa série se tornaram icônicos.

Um dos objetos mais icônicos de toda a série foi o urso de pelúcia. Como vocês criaram esse objeto específico para representar o desastre de avião? Onde acharam aquele urso rosa?

O urso de pelúcia rosa foi uma ideia de Vince. Começou como um conceito de um urso de pelúcia vindo dele e depois tornou-se rosa para ganhar destaque. Já que o urso estava destruído, não consegui usar um urso de pelúcia vendido nas lojas. Como vários objetos para essa série, tinha que ser customizado, para satisfazer nosso departamento jurídico. Encontrei um artista que faz ursos de pelúcia bem conhecido e que ainda por cima morava em Albuquerque. Perguntei a Vince o que ele tinha em mente para aquele urso e ele me mandou um desenho rascunhado num guardanapo. Trabalhando com o artista, desenvolvemos um projeto e fizemos um protótipo. Vince gostou do modelo, mas pediu que ele tivesse um tom rosa mais forte (nós tínhamos usado um rosa relativamente claro).

O que fez com que você usasse pedras de açúcar para representar a metanfetamina? Você considerou outros possíveis materiais que poderiam ter feito a droga parecer mais realista?

Quando Vince decidiu fazer a metanfetamina azul no roteiro, eu tive que encontrar algo que poderíamos usar. Cheguei a experimentar com pedras de cristal de verdade, tentei pintá-las de azul e usar restos de silicone pintados de azul. O maior problema era conseguir algo que poderíamos usar em grande quantidade. Eu estava tendendo a usar pedras de cristais e pintá-las de azul. Comecei a procurar na internet lugares em que poderia comprar grandes quantidades de pedras de cristais quando fui parar em um site que vendia pedras de açúcar com sabores. Claro que eles tinham uma cor azul (cor de algodão-doce)e foi assim que ela se tornou nosso doce de metanfetamina.

Os espectadores conseguem ver um pouco do caderno de Gale, mas tem algo especial que os espectadores não conseguem ver?

O caderno de Gale foi quase todo feito por um amigo do designer de produção. Alguns outros elementos vieram de outras fontes. Uma das imagens no livro era um desenho do *Far Side*.[1] Vince queria usar o cartum no caderno, mas

1 Tira de jornal escrita e desenhada por Gary Larson. [NT]

o departamento jurídico nos disse que teríamos que ter a permissão de Gary Larson. Nós também fomos informados de que outros programas já haviam tentado usar os quadrinhos *Far Side* e receberam um firme "não". Fomos em frente e entramos em contato com o pessoal do *Far Side* e ficamos muito satisfeitos ao receber um firme "sim", porque Gary Larson era um grande fã da série e ficou feliz por querermos usar um de seus cartuns.

Você tem um objeto favorito?

Meu objeto favorito tem que ser o "grill" de ouro de Tuco dentro do cubo de acrílico. Acho que é um objeto único. Fazê-lo foi desafiador, mas definitivamente recompensador. Um "grill" em acrílico é um desafio, mas quando o roteiro veio com a possibilidade de que Hank o jogava no rio, se tornou algo ainda maior. Como tínhamos que jogá-lo no rio, eu tinha que antecipar que íamos perdê-lo em cada uma das tomadas. Então, na verdade, tive de fazer quinze ou vinte deles. Nós tínhamos inclusive gente além do alcance das câmeras com galochas até o quadril e redes para tentar pegar os cubos quando eles eram jogados. Se não me falha a memória, acho que só perdemos um cubo naquele dia. ●

Todo objeto tem um propósito e quase sempre um duplo sentido.

Os veículos de *Breaking Bad*

Dennis W. Milliken: Como chefe dos transportes, em resumo, tudo que você consideraria um veículo é o que cai no meu colo para que eu encontre e assegure seu uso em frente às câmeras. Ao mesmo tempo, meu cargo é completamente responsável pelo transporte de todo equipamento e algumas pessoas envolvidas na produção por trás das câmeras também. Para nosso propósito aqui, falarei mais sobre a parte do meu trabalho que aparece em frente às câmeras durante o desenvolvimento do produto, que é o episódio.

O único episódio de *Breaking Bad* de que não fiz parte foi o piloto. Foi no piloto que o Bounder e o Aztek foram estabelecidos. Enquanto o Aztek estava especificado no roteiro original, o Bounder foi escolhido por Vince em meio a alguns modelos de veículos que lhe foram apresentados como opções. O Monte Carlo de Jesse também foi escolhido para o piloto e durou até o início da segunda temporada.

Vince pensou bastante no que seus personagens iriam dirigir. Sua atenção ao detalhe também incluía a idade, a cor e as condições do veículo. Conforme ele escolhia um veículo específico para um personagem específico, havia um aspecto da personalidade daquele personagem que era enfatizado. Considere o que cada um deles dirige e como isso reflete sua personalidade. Do Aztek de Walt ao Monte Carlo de Jesse, do Cadillac de Saul ao Volvo de Gus, todo veículo lhe dá um impressionante vislumbre sobre quem é aquele personagem. O denominador comum para tudo isso é Vince Gilligan. Cada e todo veículo relacionado a um personagem é definitivamente um aspecto de sua interpretação. Enquanto eu tinha muitas opções à mão, era Vince quem dava a palavra final. Como muitos outros departamentos do programa, nós ganhamos crédito pelo que você vê na tela. E enquanto isso é correto até um certo sentido, o que você vê no final é 100% Vince.

Como os departamentos de figurino, de objetos de cena, de artes e de efeitos especiais na série, eu recebia minhas orientações iniciais a partir do roteiro. Se Vince ou o escritor daquele episódio tivesse especificado um veículo determinado para um certo personagem, então a busca teria um foco definido. Contudo, o mais comum era que o veículo usado na cena não estava tão definido — assim conversas com Vince e/ou com o roteirista precisavam ocorrer.

Por exemplo, o El Camino de Todd passou a existir depois que Vince veio com uma ideia de ter algo diferente no elenco de veículos do programa, algo que não havíamos visto nos episódios anteriores. Depois de provê-lo com meia dúzia de possibilidades, ele optou pelo El Camino. O próximo passo foi lhe fornecer o máximo de opções daquele veículo que eu podia. A idade, cor e condições do carro — tudo pesou na seleção final. Todos esses dados serviram para refletir o personagem e a personalidade de Todd. O resultado final é o El Camino apresentado no meio da quinta temporada.

Agora... multiplique isso por dúzias de missões de busca parecidas. Cada personagem que dirige alguma coisa tem de passar pelo mesmo processo. No final, meu objetivo e desejo era satisfazer a visão que Vince ou que o roteirista tinham sobre aquele personagem específico. Porque, para mim, da mesma forma que o que o personagem veste reflete sua personalidade, o veículo que ele conduz também diz muito sobre aquele personagem.

Às vezes, era muito difícil satisfazer a visão do roteirista. Mas com a ajuda de nossos caros integrantes do departamento, como Chris Hicks e Jimmy Goodman, sempre conseguíamos completar nossas missões e trazer para a série o que Vince e sua equipe queriam. Estar em uma cidade do tamanho de Albuquerque no fim das contas tem suas limitações. Isso porque muitas das vezes não precisamos de apenas um, mas nos pedem várias opções do mesmo tipo de veículo — algo muito mais fácil de se fazer em uma cidade maior como Los Angeles.

Por exemplo: achar três Bounder do mesmo ano e cor se tornou um belo desafio. Nós tínhamos versões múltiplas do Aztek, do carro de Mike, do Toyota de Jesse, das SUVs de Hank, além de duplicatas para carros da segunda metade da quinta temporada. Para tornar as coisas ainda mais difíceis, o governo federal lançou o programa Cash for Clunkers.[1] Isso roubou — para cineastas em todo lugar — milhares de veículos em potencial para filmes. Eu não estou criticando o programa, que deve ter beneficiado tanto os indivíduos quanto a indústria de automóveis, mas certamente tornou mais complicada a minha pequena parte da indústria do cinema.

Eu diria que meus veículos favoritos usados na série são o Cadillac de Saul e o Volvo de Gus, empatados. São veículos perfeitos para quem os dirige. Desde que tenho família e amigos que praticam a arte da "lei", tenho que dizer que é o veículo perfeito para esse personagem. Gus tinha que voar sob o radar, e dirigir um veículo conservador e seguro como o Volvo foi um toque de gênio da parte de Vince.

Mesmo que conseguir os veículos específicos conforme foram pedidos fosse quase sempre um tremendo desafio, era meu objetivo e o da equipe ao meu redor nunca desapontar Vince em seus esforços de colocar sua visão na tela. Sendo assim, tenho muito orgulho do produto final que foi *Breaking Bad* e de minha pequena colaboração para dar-lhe um "visual".

1 Cash for Clunkers [Dinheiro para Latas Velhas] era o nome mais conhecido do programa Car Allowance Rebate System (CARS), iniciado em 2009, em que o governo dos EUA dava incentivo para quem quisesse trocar seu carro velho por um mais novo. [NT]

Carros de fuga

O Fleetwood Bounder 1986 de Walt e Jesse

O Pontiac Aztek 2004 de Walt

O Chrysler 300 2012 de Walt

O Monte Carlo 1982 de Jesse

O Toyota Tercel 1986 de Jesse

O Chrysler Fifth Avenue 1988 de Mike

O Jeep Grand Wagoneer 1991 de Skyler

O Volvo V70 1998 de Gus

O Dodge Challenger 2009 de Walt Jr.

O Cadillac DeVille 1997 de Saul

Efeitos

O que é quase sempre referido como "efeitos especiais" no cinema e na TV pode ser dividido em duas partes: Efeitos Especiais e Efeitos Visuais. A equipe de Efeitos Especiais (SFX) cria efeitos práticos, construindo objetos reais e efeitos que são filmados "na hora", enquanto o time de Efeitos Visuais (VFX) trabalha sua magia depois, durante a pós-produção, usando ferramentas digitais para completar o trabalho da equipe SFX no set (também conhecido como CGI: imagens geradas por computador).

A Ciência por Trás dos Efeitos Especiais

Efeitos especiais — como fumaça, fogo, explosões, sangue explodindo e trabalho de dublê — requerem quantidades enormes de testes e precisão para que sejam feitos de forma segura e saiam como previsto. Carros saltando, balas na cabeça e caixas eletrônicos letais não seriam possíveis sem uma equipe talentosa criando os efeitos especiais em tempo real que são capturados pela câmera durante as filmagens. Eles começam com a análise do roteiro para identificar que tipos de efeitos são exigidos em dado episódio. Efeitos especiais no cinema e na televisão começam com a decupagem técnica do roteiro de cada episódio. O coordenador de efeitos especiais (Dennis Petersen nas

ABAIXO: O borrifo de sangue preciso de um dos capangas de Gus, em um caminhão na fábrica da Fazenda Los Pollos Hermanos.

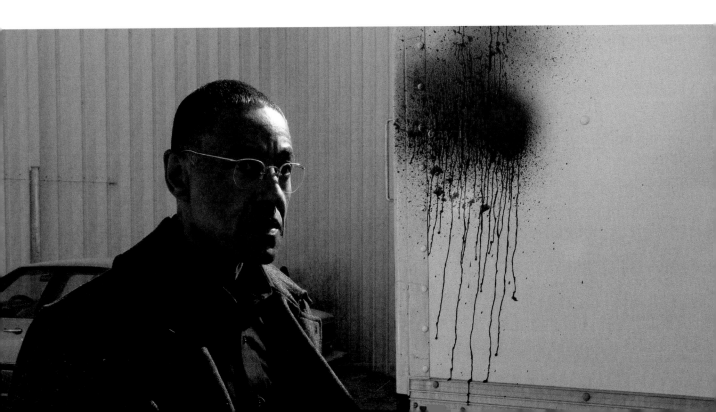

temporadas 1 a 3, Werner Hahnlein nas temporadas 4 e 5) então discutiriam esses efeitos com Vince e equipe, orçando a quantidade de dinheiro e o tempo disponível para cada um deles.

Quase sempre era necessário um casamento entre os SFX e os VFX. Por exemplo, enquanto a cara nojenta de Gus no último episódio da quarta temporada é um produto de VFX, a porta que explodia foi praticamente toda feita pela equipe de SFX, usando um aparelho pneumático de ar comprimido (e uma porta cuidadosamente preparada). Para conseguir a velocidade e a força certas, a equipe filmou vários testes em vídeo em Albuquerque para que Vince comentasse e desse notas para elas em Burbank.

Como a série quase sempre mergulha em território violento, Vince e os produtores tentaram certificar-se de que as consequências da violência fossem mostradas com realismo doloroso, mais do que as glorificando. Isso significava ter certeza de que as pessoas que tomavam tiros não tivessem buracos de bala limpos e sem sangue, mas em vez disso feridas terrivelmente irregulares — o que queria dizer explosões de sangue. O time de SFX é responsável por descobrir como armar rojões, sprays e outros dispositivos para que houvesse a quantidade de sangue adequada para cada determinada ferida. Conseguir o padrão exato do borrifo, a densidade e a visibilidade precisas quase sempre requer repetições múltiplas de testes, com Vince e os produtores dando notas a cada nova rodada até que o resultado parecesse visceralmente real.

ABAIXO E À DIREITA: A provisão de sangue e a cirurgia reversa de feridas são tão comuns agora quanto beijos na tela — como um beijo que pudesse abrir a tampa da sua cabeça.

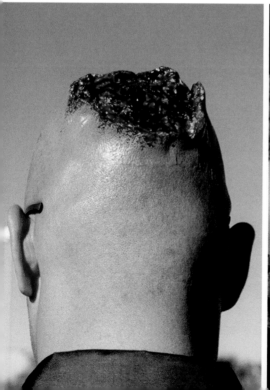

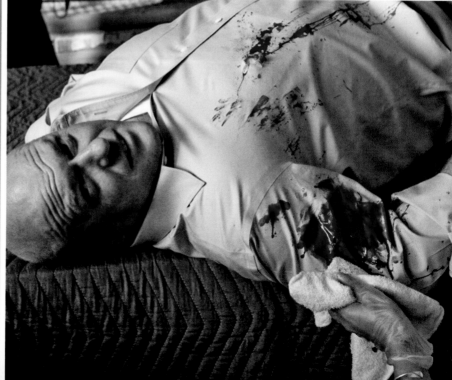

A Ciência por Trás dos Efeitos Visuais

Muitas das cenas de cair o queixo em *Breaking Bad* foram resultado de meticulosos efeitos visuais gerados por computador, acrescentados na pós-produção. Da colisão de aviões a um voo completamente digital, o time de efeitos visuais criou algumas das cenas mais chocantes no mundo de *Breaking Bad*.

Uma das cenas mais memoráveis na história da série foi a morte explosiva do chefão da metanfetamina do Sudoeste, Gus Fring. Para criar a cena impressionantemente grotesca, foram reunidos todos os talentos do KNB EFX (efeitos especiais de maquiagem), de Bill Powloski (VFX) e do time de efeitos especiais de Werner Hahnlein.

O processo começou com Vince descrevendo a imagem que ele tinha em mente às produtoras Michelle MacLaren, Melissa Bernstein e Diane Mercer para determinar quais eram os requerimentos de produção e pós-produção daquela cena. Elas, por sua vez, consultaram Bill Powloski e Werner Hahnlein e a equipe de efeitos especiais de maquiagem da KNB EFX (uma empresa contratada conhecida por seu trabalho de caracterização dos zumbis de *The Walking Dead*, da AMC).

O processo começou com a criação de múltiplos rascunhos no Photoshop sobre a face destruída pela metade, variando em realismo e complexidade, moldados a partir de fotografias do rosto do ator Giancarlo Esposito. Vince e seu time de produção então analisaram as várias imagens e escolheram a que queriam para o produto final. Trabalhando a partir do rascunho e um molde da cabeça do ator (um processo que exigiu que Giancarlo Esposito tivesse a cabeça coberta por silicone por uma hora), Greg Nicotero, da KNB, começou a trabalhar em uma escultura de tamanho real. Essa escultura permitiu que as equipes pudessem ver como o desenho seria traduzido em três dimensões e formaram a base do trabalho digital da equipe de VFX.

Então, trabalhando a partir dessa escultura, os efeitos especiais de prótese foram criados pela KNB, liderada por Garett Immell. Howard Berger, também da, os aplicava ao rosto de Giancarlo cuidadosamente num processo de quatro horas e meia no dia da filmagem. Marcadores de cores fortes foram colocados sobre as próteses, os quais Bill Powloski e Velocity FX usaram para mapear o rosto e encaixá-lo com a versão gerada digitalmente da escultura. Nesse estágio, efeitos de tecidos impossíveis de serem atingidos na escultura foram acrescentados, bem como texturas de ossos e sangue. Em um toque macabro final, uma pequena

quantidade de fumaça digital foi acrescentada, saindo da cara destruída. O que os espectadores viram foi uma forma extremamente chocante e perturbadora de dizer adeus ao vilão favorito de todos, Gus Fring.

Outra cena em que o talentoso time de VFX brilha é no episódio 3x12, "Half Measures", em que Walt salva Jesse da morte certa pelas mãos de dois gângsteres.

Aqui os roteiristas explicaram a cena para Bill Powloski, que começou a trabalhar em uma pré-visualização em 3-D tentando capturar a física e a sensação completa da cena, trabalhando com a velocidade do veículo e a força com a qual ele atingiria os corpos no momento do impacto. Mesmo nesse estágio de simulação, ver o Aztek acertar os dois gângsteres era pesado. A cena final, estava claro, seria tão chocante quanto necessário.

Depois do estágio de pré-visualização, durante a produção, vários ângulos foram filmados. Isso quer dizer que a cena final unificada foi quebrada em elementos de composição, cada um deles capturado de forma "limpa", sem os outros elementos anteriores. Assim, uma cena da locação sem os corpos ou o carro foi fotografada, um dos atores foi filmado reagindo a um Aztek imaginário, então outra cena só com o carro — dirigido por um dublê — passando por cima de alguns sacos de areia para conseguir o balanço necessário e por aí vai. Isso permitiu que a cena pudesse ser montada em diferentes camadas. Essas cenas então foram combinadas na pós-produção e postas em camadas com a versão em 3-D dos corpos dos dois gângsteres voando depois de serem atingidos, seguindo o modelo de física determinado pela pré-visualização. A cena final é brutal e verossímil.

"Corre!"
— **WALT, PARA JESSE** | 3x12

Dividir a violência em partes separadas se torna um truque legal.

Como você chegou à decisão de literalmente explodir a cara de Gus?

Nós tentamos contar nossa história em *Breaking Bad* de forma orgânica. Tentamos construí-la tijolo por tijolo do zero e sempre tentávamos nos perguntar: "Onde está a cabeça do personagem em determinado momento?". Enquanto tentávamos evoluir rumo a um objetivo final que não estava inteiramente claro ou detalhado, deixamos a história se contar. Contudo, a morte de Gus Fring foi um desses momentos que não trabalhamos de forma orgânica. Eu tinha essa imagem na cabeça — eu nem consigo me lembrar de quando ela apareceu pela primeira vez — de um cara sendo estourado após uma explosão e saindo da área do ataque com a cara pela metade. Quando penso nisso, acho que tive essa imagem plantada na cabeça depois de ler um livro chamado *Strange Angel* [de George Pendle], que conta a história

de John Whiteside Parsons. É sobre esse cara que foi um dos fundadores do Laboratório de Propulsão a Jato da Caltech, e que também gostava de magia e não estou me referindo àquele tipo de mágica com cartolas e coelhos. Quero dizer, ele tinha uma espécie de culto sexual que rolava em Pasadena, na Califórnia, nos anos 1930 e 1940. Ele praticava magia negra e todos esses estranhos rituais arcanos e ele também era um cientista de foguetes. Ele teve um infeliz fim quando estava preparando uma fornada de fulminato de mercúrio para um projeto de efeitos especiais de um filme do início dos anos 1950: algo deu errado e o negócio explodiu na cara dele. O livro dizia que ele havia sobrevivido com parte de seu rosto destruído por algumas horas antes de finalmente sucumbir no hospital. Aquela imagem provavelmente se infiltrou em minha cabeça porque parecia muito horrível, muito impressionante. Então eu disse para os roteiristas um dia: "Acho que Gus Fring poderia ter metade do rosto destruído e ele poderia viver por alguns segundos, antes de cair de

Como o cientista louco perdeu o rosto?

joelhos para fora do enquadramento". Eu tinha essa imagem bem nítida na minha cabeça e então disse: "como é que nós vamos chegar nisso?". Foi uma espécie de engenharia reversa que é bem pouco orgânica em termos de narrativa.

Mas nós fizemos a engenharia reversa daquela imagem nos perguntando: "Tá bom, acho que uma bomba explodiu. Quem fez a bomba? Acho que foi Walter White. Como Walter White fez que a bomba chegasse a ele? Ah, ele tem que ser bem esperto porque Gus é muito astuto, um sujeito sagaz. Então como é que Walt trará uma bomba à sua presença? Talvez possamos usar o Tio". Você pega os seus bens, em termos de atuação e em termos de história, e você tenta mantê-los em seu banco de memória, pensando para si mesmo: "Como podemos usá-los do melhor jeito?". É uma forma contraintuitiva de se contar uma história e não parece ser honesta, mas acho que fizemos um bom uso disso, em todo caso. ●

Moedas de desafio

Vince Gilligan: Bem no começo, acho que provavelmente na primeira temporada de *Breaking Bad*, eu pude conhecer um de nossos colaboradores. Ele era um sujeito bem interessante que podia se virar com um caminhão-trailer de 15 metros de comprimento. Ele podia manobrá-lo pelo buraco de uma agulha. A habilidade desses caras de dirigir esses caminhões sempre me impressiona. Mas esse sujeito em especial costumava ser o chefe de polícia de Tucumcari, no Novo México. E num dia, entre as preparações, ele me mostrou uma moeda de desafio feita pela polícia de Tucumcari. E eu disse: "Isso é maravilhoso! O que é isso?". E ele: "É uma moeda de desafio; nós as fazemos para nossa força policial". Depois fui entender que uma moeda de desafio é algo que veio dos militares.

Foi, acho, depois da Segunda Guerra Mundial (e posso estar deixando a história um pouco nebulosa aqui), mas essencialmente aquilo era feito por diferentes unidades do Exército — dos fuzileiros, da Força Aérea e da Marinha — e eles carregavam aquelas moedas. Começou como um identificação, mas logo virou um aspecto de orgulho. Diferentes unidades, pelotões e brigadas sentiam orgulho de seu time e faziam essas moedas para demonstrar isso.

Você as chama de moeda de desafio porque, se está em um bar militar com marinheiros, soldados ou fuzileiros de diferentes unidades, você mostra a sua moeda, sua identificação de unidade. E diz: "Desafio!". E todo mundo ao redor deve ter sua moeda com eles, porque se algum deles não tiver, tem de pagar uma rodada de bebidas para todos. Daí a expressão "moeda do desafio".

Então, isso é algo que começou entre os militares e basicamente migrou para diferentes departamentos policiais e de bombeiros, além do FBI, da CIA — e todas essas diferentes organizações tinham suas moedas de desafio. Então eu pensei: "Bem, vamos ter as nossas de *Breaking Bad*". E assim começou nossa tradição.

PRIMEIRA TEMPORADA	SEGUNDA TEMPORADA	TERCEIRA TEMPORADA

"É QUÍMICA, *BITCH*!"

Ao fazer essas moedas, tentei que elas fossem bem diferentes umas das outras. Eu queria uma paleta de cores diferente para cada uma delas. Começamos com a escolha mais óbvia de cores da primeira temporada. Começamos com verde, que era a cor para a qual Walt estava migrando no primeiro episódio. Ele estava indo do bege para o verde, então nem precisava pensar muito para definir que a primeira moeda deveria ser verde. E também não foi difícil definir que a

"YEAH, CIÊNCIA!"

A segunda delas foi uma das minhas favoritas: a moeda vermelha. O vermelho, claro, é mais a cor de Jesse Pinkman do que de Walter White. A empresa que faz essas moedas fez um ótimo trabalho ao colocar a máscara de gás. Você basicamente fazia um rascunho para esses caras e os artistas da empresa refinavam e faziam com que ele funcionasse para o processo de cunhagem da moeda. Gostei muito da máscara de gás quando eles a apresentaram.

"SKYLER ANDOU, OS PRIMOS CHEGARAM, TIO FALOU, NOSSA EQUIPE ARRASOU"

Para a terceira temporada tivemos a mosca, título de um dos meus episódios favoritos de *Breaking Bad*. Tentei não ficar só com os favoritos, mas esse é um dos episódios mais memoráveis para mim — o episódio "Fly". Então, eu a coloquei na moeda de desafio daquele ano. Colocamos o slogan na borda: "Skyler andou, os Primos chegaram, Tio falou, nossa equipe arrasou!" Essa foi divertida. Elas são para a equipe, então você pensa no que eles gostariam quando está criando uma delas.

cueca estaria nela. Essa foi divertida de ser feita. Foi a primeira vez que desenhei essas moedas. Eu não percebi quantos detalhes poderia colocar nelas, no molde. Quando você olha para essas moedas, percebe que elas vão ficando cada vez com mais detalhes a cada nova temporada.

À DIREITA: Quantas câmeras para essa cena? Acrescentem mais uma — a que eles estão usando.

PÁGINA AO LADO: Bryan, Aaron e Vince dando um tempo entre as cenas.

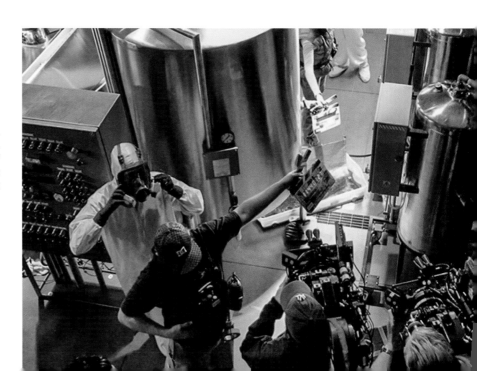

QUARTA TEMPORADA

"DE CHAPÉU, SEM LUVAS"

Essa talvez seja a moeda de que menos gosto. Gosto do amarelo, mas o roxo do chapéu não salta como eu esperava que saltasse. Mas ela, claro, tem o infame chapéu Heisenberg. Gosto de todas as moedas, mas se tivesse que listá-las em ordem, acho que essa não é esteticamente tão bem-sucedida como as outras. Só ficou ok.

QUINTA TEMPORADA

"NADA PARA ESTE TREM"

Esta é da quinta temporada, do episódio "Dead Freight". E logotipo é utilizado pela Santa Fe Southern Railway, a empresa ferroviária de quem alugamos o trem cargueiro para este episódio em particular. Esse foi um dos melhores desenhos de moeda, para mim. E gosto do "Nada para este trem" que se repete na borda dela. Para mim, essa tem um dos designs mais bem-sucedidos.

QUINTA TEMPORADA (OS ÚLTIMOS OITO EPISÓDIOS)

"LOS OCHO FINALES"

O logo no verso da moeda foi algo que desenhei. Muita gente perguntou "O que é essa coisa?". Para mim ele tem muitos significados. Parece o símbolo de um caduceu. Mas na minha cabeça é um "BB". É o BB de *Breaking Bad*. Também é o símbolo do infinito, a imagem do número oito deitada de lado. Para mim, o infinito representa que o pessoal atrás das câmeras em *Breaking Bad* é uma família e será uma família para sempre.

Ele também tem uma sensação meio fita de Möbius e mais uma vez isso simboliza o infinito. Então, basicamente foi a minha forma de dizer que a família *Breaking Bad* vai continuar para sempre, mesmo após o final do seriado. E também se ela é uma figura de um número oito de lado, representa o infinito, mas se a colocarmos de pé vira o velho oito. Neste sentido, representa os oito episódios finais. Fiquei bem impressionado com a minha própria sacada, mas todo mundo que a via perguntava: "Que diabo isso significa? Te obrigaram colocar isso após tomar um processo?".

Nós tínhamos duas versões dessa moeda, uma prateada, que fizemos muito mais cópias para dar de brinde para os amigos do programa. E fizemos uma de ouro, em tiragem limitada. Ela dizia "Eu estava lá" na borda e era estritamente para a equipe. Na verdade, as moedas que sobraram eu provavelmente vou acabar destruindo, porque quero que ela tenha uma edição bem limitada. Elas são apenas para a equipe mesmo, para as pessoas que realmente estavam lá.

Entrevista Produtoras

Michelle MacLaren
PRODUTORA EXECUTIVA E DIRETORA

Você poderia nos contar como se envolveu com *Breaking Bad*?

Eu fui contratada primeiro como diretora da série. Eu deveria dirigir na primeira temporada, mas aconteceu a greve dos roteiristas e acabei dirigindo meu primeiro episódio na segunda temporada — o episódio 2x09, "4 Days Out". E Vince Gilligan me pediu para voltar integralmente como uma das produtoras e dirigir alguns episódios na temporada. Era uma oferta que eu não podia recusar.

Pode contar alguns desafios específicos que você encarou na produção?

Bem no começo da quinta temporada — a produção não havia começado, então ainda estávamos em Burbank... Vince disse para mim, um dia: "Michelle, quero fazer um episódio em que roubamos um trem". Olhei para ele e disse: "Ah, tá bom". E ele disse: "Nós podemos fazer isso?". E eu respondi: "Bem, deixa eu dar uma pesquisada". Chamei nosso gerente de locação e nosso designer de produção e nosso produtor de linha e disse: "Bem, caras, vocês podem fazer uma pesquisa? Tem algum trem por aqui? Onde há um trilho de trem que nós possamos usar e controlar? Quanto custaria?". Eles são fantásticos e voltaram pra mim em 24 horas dizendo: "Nós não conseguimos de forma alguma arcar com o uso das principais ferrovias que custam milhões e milhões de dólares. Mas há uma empresa que tem uma ferrovia particular de cinco quilômetros pra lá de Santa Fe e eles têm um trem que usam para fazer excursões".

Eles me disseram quanto custaria tudo e era bem mais do que podíamos gastar. Então eu disse: "Bem, deixa eu falar com o cara que gerencia o lugar". Falei com Bill King, que estava tocando a empresa de trem e era um grande fã do programa. Eu disse: "Olha, adoraríamos fazer isso, mas não podemos pagar o preço que está sendo pedido. Há alguma forma de tornar isso mais plausível?". Enquanto isso, eu falava para os roteiristas: "Isso é bem desafiador, não sei se vamos conseguir". E eles vinham com diferentes ideias, que eram ainda mais caras. Felizmente, Bill viu o valor de publicidade em trabalhar conosco já que eles eram uma empresa de turismo. Nessa época estávamos na quinta temporada, quando *Breaking Bad*, especialmente no Novo México, era bem conhecida. Então ele disse: "Tudo bem, vamos ver se conseguimos chegar a um acordo". E nós conseguimos fazê-lo.

Chegamos a um valor (apesar de ser mais dinheiro do que gastaríamos normalmente) e a Sony nos apoiou, dizendo: "Tudo bem, podemos fazer isso". Então o diretor e roteirista George Mastras, Vince, Melissa Bernstein, Mark Johnson e eu — que estávamos todos no Novo México — fomos até Santa Fe para ver essa ferrovia. Vimos o trem, a locação, e era fantástico; foi onde eles filmaram *Butch Cassidy*. Então a locação era ótima e o trem estava funcionando, mas precisávamos alugar vagões de carga, que era um outro negócio. Isso levou muito tempo para ser feito. Passamos meses configurando isso, e passei muito tempo em Santa Fe.

No dia antes de começarmos a gravar, os vagões apareceram... cobertos de pichações. Então nosso departamento de arte, liderado pelo designer de produção Mark Freeborn — num domingo — desceu para Santa Fe para cobrir as pichações e consertar os vagões. Quando chegou na segunda de manhã, tínhamos nosso trem. Foi fantástico: era enorme e fabuloso. Então o motor quebrou no primeiro dia de filmagem. Felizmente, tínhamos muito o que filmar onde o trem havia parado e reorganizamos nosso dia, filmando com o trem e o motor quebrado enquanto os caras tentavam tirar as partes para consertá-lo.

Naquela noite, eles não dormiram, consertando o motor, e no dia seguinte o motor estava funcionando novamente. Todo dia havia um novo desafio quando se filma com um trem de verdade. Mas o maior deles foi conseguir o trem. Foram literalmente meses para fazer isso e todo mundo ajudou, e é um dos episódios de que tenho mais orgulho devido aos desafios apresentados.

Você pode falar sobre as pequenas vitórias da série? Talvez as sequências de cozimento de metanfetamina?

Eu fiz algumas poucas montagens de produção de metanfetamina. A primeira que fiz foi no episódio que dirigi... Naquela época, era um tipo de cozimento menor que eles estavam fazendo no trailer. Gostávamos de fazer tudo da forma mais autêntica possível — não que estivéssemos realmente cozinhando metanfetamina, mas queríamos que parecesse que estávamos. Então apareci lá sem nunca ter feito metanfetamina na vida e sem saber nada sobre isso, mas tínhamos um consultor técnico que explicou todo o processo para nós. Nós preparamos tudo. Já que a metanfetamina que fazíamos passava por uma série de mudanças, eu falava com o departamento de efeitos especiais para entender que cor deveria ser a cada estágio.

Tínhamos a fase da gosma cinzenta, quando eles colocam alumínio nela. Tínhamos a fase amarela — e era assim que nós nos referíamos a ela porque a terminologia científica era muito confusa para um grupo tão grande de pessoas entender. Depois de aprender quais eram os processos, eu planejaria como iríamos filmá-los... Nós tínhamos [o consultor técnico] por lá e eu perguntava para ele: "Bom, agora que fizemos isso, qual o próximo passo?". E ele me dizia: "Tá bom,

Michelle MacLaren

espera um segundo", então ia para um canto e fazia uma ligação, depois voltava e dizia: "Agora façam assim". Depois da terceira vez que ele fez isso, eu disse: "Quero saber quem está do outro lado do telefone". Ele olhou para mim bem sério e disse: "Não, você não quer".

Quais são suas lembranças favoritas dos bastidores nesses anos?

Essa é uma questão complicada. Eu vou lhe dizer algumas. Em "4 Days Out", eu estava acabando de conhecer a equipe e o elenco, já que era minha primeira montagem ao trabalhar com eles. Nós tínhamos essa sequência de filmagem que nos levou à montagem da produção de metanfetamina, mas também tinha os caras no deserto, então queríamos mostrá-los começando a se relacionar. Era minha primeira vez no Novo México e eu vi como era incrivelmente linda a luz naquele lugar e como eram maravilhosos tanto as auroras quanto os crepúsculos por lá. Eu estava tentando pensar em coisas que esses dois personagens poderiam fazer juntos, para que eles se relacionassem. Não estava escrito no roteiro, mas eu disse: "Ei, caras, vamos filmá-los mijando com o sol

nascendo". E o estúdio disse: "Não, não, não, você não pode fazer isso. Não está no roteiro. A agenda é muito grande. Não conseguimos agendar mais nada".

Então nossa primeira assistente de direção, Polly Matheson, que estava incumbida de agendar os dias, adorou a ideia e disse: "Olha, eu vou deixar todo mundo pronto um pouco mais cedo hoje". Nós não contamos para ninguém, porque não cabia a nós agendar uma cena fora do roteiro, mas lá estavam os atores quando ainda estava escuro, então quando o sol apareceu já tínhamos as câmeras e todo mundo pronto para trabalhar. Não estávamos desperdiçando tempo, já que estávamos nos armando para a manhã. E quando o sol começou a nascer eu olhei para Bryan e Aaron e disse: "Ei, caras, rápido: corram até ali e finjam que estão mijando". Eles entenderam na hora. E foi fantástico! É uma das minhas cenas favoritas na montagem.

[Em "One Minute",] nós estávamos filmando a parte em que um dos Primos está andando pelos carros, procurando por Hank, e ele aparece na esquina e tem um cara com um iPod que assusta o Primo e faz com que ele atire no cara de iPod.

Isso foi antes que os efeitos visuais gerados por computador tivessem dominado esse tipo de coisa (apesar de fazermos muitos desses efeitos de forma prática). Tínhamos um equipamento montado na parte de trás da cabeça do cara com o iPod e quando ele tomava o tiro deveria explodir uma camisinha cheia de sangue, fazendo sangue voar para todos os lados. Gastamos um bom tempo armando isso e estávamos prontos na hora. E então, quando filmamos, a camisinha saiu voando, mas não estourou — e pareceu uma grande massa vermelha. E por um segundo parecia que eram os miolos do cara ou coisa do tipo e eu disse: "Oh, meu Deus, ele está bem?". Felizmente tudo estava certo e a equipe olhou para mim e disse: "Bem, vamos ter que fazer de novo?". Eu sabia

que não tínhamos tempo suficiente, por isso eu disse: "Não, parece que são os miolos". Por isso se você pausar naquela cena, você verá uma camisinha cheia de sangue voando pelo ar... Mas que parece uma parte do cérebro! Então ficamos assim.

Tínhamos desafios desse tipo por todos os lados — tanto como produtores quanto como diretores.

Como é conviver com Vince como criador e roteirista da série? Como é essa interação, ao trabalhar com ele?

Vince e eu nos conhecemos em *Arquivo X*. Eu produzi a primeira coisa que ele dirigiu e ele escreveu a primeira coisa que eu dirigi, por isso nos conhecemos há muito tempo. Vince é um dos criadores mais generosos e confiáveis com quem eu já tive o privilégio de trabalhar. Ele encoraja e inspira a todos para que deem o seu melhor, para que alcancemos além do que sabemos que somos capazes de fazer. Ele encoraja as pessoas a colaborar e escuta. É uma atmosfera de muita colaboração. Ele encoraja as pessoas a serem criativas e a pensar de forma não convencional. Para mim, é isso que faz um grande líder: ele sabe o que quer, mas está aberto às colaborações dos outros.

Ele também é muito específico e põe muito a mão na massa, mas ao mesmo tempo faz todo mundo sentir que está contribuindo e fazendo parte do processo. Além de ser um excelente *showrunnner*, tudo que ele escreve é mágico. Ele é um excelente diretor, um excelente produtor e é brilhante na sala de edição — o que acho que é crucial para um criador de uma série e muita gente não percebe isso. Eu entro numa sala de edição com Vince e ele diz ao editor: "Ponha duas cenas aqui. Tire quatro cenas dali", e isso melhora tudo. Ele é um gênio nisso. Ele tem uma mente maluca: uma mente maravilhosa e maluca.

Eu me sinto verdadeiramente sortuda de tê-lo conhecido e de que tenha me levado nessa incrível jornada. ◼

Melissa Bernstein
COPRODUTORA EXECUTIVA

Melissa Bernstein

Como você se envolveu com o projeto?
Felizmente, eu me envolvi com *Breaking Bad* desde o começo. Eu faço TV para Mark Johnson, que é um dos produtores executivos da série e nós realmente tivemos a honra de desenvolver este projeto com Vince.

Nós a trouxemos para a Sony Pictures Television, onde nos disseram que era a pior ideia que já tinham ouvido. Mas devido à sua fé em Vince e, acho, o fato de terem ficado surpresos e intrigados com a premissa do programa e o mundo que Vince havia criado, eles decidiram seguir em frente. Acho que estávamos em algum lugar entre o choque, o constrangimento, a excitação e a perplexidade. Nós levamos a série para algumas outras emissoras... No final, Mark Gordon, o agente de Vince, a enviou para a AMC, que na época não tinha nenhuma produção original. Acontece que a AMC estava querendo entrar no negócio de produção de séries originais de forma bem séria. Acho que eles fizeram da forma mais acertada, com Vince Gilligan, com Matt Weiner, com roteiristas e criadores que tinham uma ambição e uma perspectiva reais e haviam feito transformações importantes nas séries que estavam desenvolvendo.

A Sony queria mudar a produção para o Novo México porque ofereciam um incentivo realmente maravilhoso de produção, e assim nosso dinheiro poderia render mais. Isso nos permitiria colocar mais recursos financeiros na tela, porque tínhamos um orçamento bem modesto de programa de TV a cabo, então estávamos tentando fazer o dinheiro esticar ao máximo. É um programa bem ambicioso em que coisas explodem e as pessoas tomam tiros, por isso cada dólar é contado. Vince redesenhou a série, fazendo-a sair de Inland Empire, na Califórnia, para ir para Albuquerque, no Novo México. Foi ótimo, porque o Novo México é realmente um personagem de verdade na série — as paisagens, a paleta de cores, até o design do som. É um western moderno e nós conseguimos realmente amplificar isso ao filmá-lo em Albuquerque. Acho que o problema da metanfetamina existe praticamente em qualquer lugar e as pessoas têm câncer em todo lugar, então foi algo que Vince abraçou rapidamente porque não feriria a história. A mudança de locação, na verdade, melhorou as oportunidades cinematográficas da série.

Uma outra coisa maravilhosa que veio da AMC e de nossa colaboração com eles foi sua sugestão para que Vince dirigisse o piloto — que ficou tão bom porque Vince o dirigiu. Ter seu dedo no pulso de cada personagem em cena foi inestimável. Há tantos momentos tão verdadeiramente fortes no piloto que não têm diálogo e são apenas atmosféricos — Vince conseguiu transportar o público para a pele de Walt sem dar explicação. Eu não sei se outro diretor teria a paciência e a visão para capturar esses momentos tão bem quanto Vince o fez. A história era tão parte dele. Ele fez um trabalho incrível de trazer esses personagens e aquela história à vida de uma forma que ninguém mais poderia.

Se tivesse que escolher, qual seria seu momento favorito nos bastidores?
É difícil escolher um favorito [mas], como espectadora que se comove com uma cena, foi provavelmente no episódio 2x12, quando Jane morre. Ela engasga no próprio vômito e Walt a vê engasgando e decide não a ajudar. É um momento crucial para o personagem e ele decide não agir ali.

Há tanta complexidade naquela cena em termos de Walt se iludindo para pensar que está fazendo algo por Jesse, quando ele, na verdade, é responsável pela perda de uma vida humana. Diz muito sobre suas ambições e as escolhas que ele fez ao se envolver com o negócio da metanfetamina. É uma cena fascinante de se assistir. Bryan trouxe tanto para ela. Ele é alguém que consegue facilmente sair da pele de Walt porque é uma pessoa tão pra cima, positiva e divertida para se estar perto — aquela cena, você podia sentir que ela tinha um senso de gravidade para ele como pessoa também.

Bryan tem uma filha e você podia senti-lo conectando-se a esse aspecto de sua vida e trazendo aquela experiência para a cena. Foi inacreditável e algo que eu não tenho certeza se conseguirei testemunhar mais uma vez em minha vida profissional. Só de ver um ator ir tão longe e mostrar tantas cores, tanta textura. Te levar para um lugar tão difícil, quando você não conseguiria possivelmente imaginar estar naquela situação. A representação de Bryan naquele momento foi incrivelmente forte e muito, muito memorável.

Eu ouvi dizer que foi naquele dia que a foto da equipe foi feita. É verdade?
Você está certo. Tiramos a foto da equipe logo após termos terminado esta cena. Você ainda consegue vê-la no rosto de Bryan, como se ela não tivesse terminado até que ele voltasse no dia seguinte. Acho que nenhum de nós conseguiu. Naquela foto de equipe, todo mundo parece passado. Acho que nós sabíamos que fazíamos parte de uma série forte e vermos juntos aquele momento acontecer foi realmente algo incrível. ●

Recompensas: Prêmios e Indicações

Um elenco e uma equipe diversificada e talentosa fizeram *Breaking Bad* destacar-se, mesmo no panorama televisivo estelar de hoje. Elogiada por fãs e críticos, a série recebeu indicações e prêmios nos Emmy Awards, Directors Guild of America, Globo de Ouro, Screen Actors Guild e muitos mais. A seguir, uma lista selecionada de prêmios e indicações que o programa recebeu ao longo dos anos.

EMMY AWARDS

2014 Melhor Ator Principal em Série Dramática: Bryan Cranston (Vencedor); Melhor Ator Coadjuvante em Série Dramática: Aaron Paul (Vencedor); Melhor Atriz Coadjuvante em Série Dramática: Anna Gunn (Vencedora); Melhor Roteiro em Série Dramática: Moira Walley – Beckett (Vencedora); Melhor Elenco em Série Dramática: Michael Bowen, Betsy Brandt, Bryan Cranston, Lavell Crawford, Tait Fletcher, Laura Fraser, Anna Gunn, Matthew T. Metzler, RJ Mitte, Dean Norris, Bob Odenkirk, Aaron Paul, Jesse Plemons, Steven Michael Quezada, Kevin Rankin, Patrick Sane (Vencedores); Melhor Série Dramática: (Vencedora); Melhor Edição de Fotografia de Câmera Individual em Série Dramática: Skip Macdonald (Vencedor); Melhor Direção em Série Dramática: Vince Gilligan (Indicado); Melhor Roteiro em Série Dramática: Vince Gilligan (Indicado); Melhor Elenco em Série Dramática: Sharon Bialy, Sherry Thomas, Kiira Arai (Indicadas); Melhor Edição de Fotografia de Câmera Individual em Série Dramática: Kelley Dixon, Chris McCaleb (Indicados); Melhor Edição de Fotografia de Câmera Individual em Série Dramática: Kelley Dixon (Indicada)

2013 Melhor Atriz Coadjuvante em Série Dramática: Anna Gunn (Vencedora); Melhor Edição de Fotografia de Câmera Individual em Série Dramática: Kelley Dixon (Vencedora); Melhor Série Dramática: (Vencedora); Melhor Edição de Fotografia de Câmera Individual em Série Dramática: Michael Slovis (Indicado); Melhor Direção em Série Dramática: Michelle MacLaren (Indicada); Melhor Ator Principal em Série Dramática: Bryan Cranston (Indicado); Melhor Edição de Fotografia de Câmera Individual em Série Dramática: Skip Macdonald (Indicado); Melhor Edição de Som em Série: Jeff Cranford, Cormac Funge, Dominique Decaudain, Jane Boegel, Mark Cookson, Gregg Barbanell, Kathryn Madsen, Jason Tregoe Newman, Nick

Forshager (Indicados); Melhor Mixagem de Som em Série Dramática: Darryl Frank, Eric Justen, Jeffrey Perkins (Indicados); Melhor Ator Coadjuvante em Série Dramática: Jonathan Banks (Indicado); Melhor Ator Coadjuvante em Série Dramática: Aaron Paul (Indicado); Melhor Roteiro em Série Dramática: George Mastras (Indicado); Melhor Roteiro em Série Dramática: Thomas Schnauz (Indicado)

2012 Melhor Ator Coadjuvante em Série Dramática: Aaron Paul (Vencedor); Melhor Edição de Fotografia de Câmera Individual em Série: Michael Slovis (Indicado); Melhor Diretor em Série Dramática: Vince Gilligan (Indicado); Melhor Série Dramática: (Indicada); Melhor Ator Principal em Série Dramática: Bryan Cranston (Indicado); Melhor Ator Coadjuvante em Série Dramática: Giancarlo Esposito (Indicado); Melhor Atriz Coadjuvante em Série Dramática: Anna Gunn (Indicada); Melhor Ator Convidado em Série Dramática: Mark Margolis (Indicado); Melhor Edição de Fotografia de Câmera Individual em Série Dramática: Skip Macdonald (Indicado); Melhor Edição de Fotografia de Câmera Individual em Série Dramática: Kelley Dixon (Indicada); Melhor Edição de Som em Série: Jeff Cranford, Cormac Funge, Dominique Decaudain, Jane Boegel, Mark Cookson, Gregg Barbanell, Kathryn Madsen, Jason Tregoe Newman, Nick Forshager (Indicados); Melhor Mixagem de Som para Série Dramática: Darryl Frank, Eric Justen, Jeffrey Perkins (Indicados); Melhor Efeitos Visuais Especiais em Papel Coadjuvante: Matthew Perin, Gregory Nicotero, Werner Hahnlein, William Powloski, Steve Fong, Bruce Branit, Sean Joseph (Indicados)

2010 Melhor Ator Coadjuvante em Série Dramática: Aaron Paul (Vencedor); Melhor Fotografia em Série de Uma Hora: Michael Slovis (Indicado); Melhor Direção em Série Dramática: Michelle MacLaren (Indicada); Melhor Série Dramática: (Indicada); Melhor Ator Principal em Série Dramática: Bryan Cranston (Indicado); Melhor Edição de Fotografia de Câmera

Individual em Série Dramática: Skip Macdonald (Indicado); Melhor Edição de Som em Série: Cormac Funge, Dominique Decaudain, Jane Boegel, Mark Cookson, Gregg Barbanell, Kathryn Madsen, Jason Tregoe Newman, Nick Forshager (Indicados)

2009 Melhor Ator Principal em Série Dramática: Bryan Cranston (Vencedor); Melhor Edição de Fotografia de Câmera Individual em Série Dramática: Lynne Willingham (Vencedora); Melhor Fotografia em Série de Uma Hora: Michael Slovis (Indicado); Melhor Série Dramática: (Indicada); Melhor Ator Coadjuvante em Série Dramática: Aaron Paul (Indicado)

2008 Melhor Ator Principal em Série Dramática: Bryan Cranston (Vencedor); Melhor Edição de Fotografia de Câmera Individual em Série Dramática: Lynne Willingham (Vencedora); Melhor Fotografia em Série de Uma Hora: John Toll (Indicado); Melhor Direção em Série Dramática: Vince Gilligan (Indicado)

GLOBO DE OURO AWARDS

2014 Melhor Série de Televisão — Drama: (Vencedora); Melhor Performance de Ator em Série de Televisão — Drama: Bryan Cranston (Vencedor); Melhor Performance de Ator Coadjuvante em Série de Televisão : Aaron Paul (Vencedor)

2013 Melhor Performance de Ator em Série de Televisão — Drama: Bryan Cranston (Indicado); Melhor Série de Televisão — Drama: (Indicada)

2012 Melhor Performance de Ator em Série de Televisão — Drama: Bryan Cranston (Indicado)

2011 Melhor Performance de Ator em Série de Televisão — Drama: Bryan Cranston (Indicado)

SCREEN ACTORS GUILD AWARDS

2014 Melhor Performance de Ator em Série Dramática: Bryan Cranston (Vencedor); Melhor Performance de Elenco em Série Dramática: Michael Bowen, Betsy Brandt, Bryan Cranston, Lavell Crawford, Tait Fletcher, Laura Fraser, Anna Gunn, Matthew T. Metzler, RJ Mitte, Dean Norris, Bob Odenkirk, Aaron Paul, Jesse Plemons, Steven Michael Quezada, Kevin Rankin, Patrick Sane (Vencedores);

A 66ª edição do Primetime Emmy Awards, no Nokia Theatre, em Los Angeles, 25 de agosto de 2014. Da esquerda para a direita: os atores Aaron Paul, Anna Gunn, Bryan Cranston, Betsy Brandt, Jesse Plemons, Laura Fraser e RJ Mitte, e o produtor executivo/escritor Vince Gilligan.

Melhor Performance de Atriz em Série Dramática: Anna Gunn (Indicada); **Melhor Performance de Ação de Elenco de Dublês em Série de TV:** Laurence Chavez, Edward A. Duran, Glenn Foster, Al Goto, Larry Rippenkroeger (Indicados)

2013 Melhor Performance de Ator em Série Dramática: Bryan Cranston (Vencedor); **Melhor Performance de Ação de Elenco de Dublês em Série de TV:** Larry Rippenkroeger, Al Goto, Laurence Chavez, Jimmy Romano (Indicados); **Melhor Performance de Elenco em Série Dramática:** Jonathan Banks, Betsy Brandt, Bryan Cranston, Laura Fraser, Anna Gunn, RJ Mitte, Dean Norris, Bob Odenkirk, Aaron Paul, Jesse Plemons, Steven Michael Quezada (Indicados)

2012 Melhor Performance de Ator em Série Dramática: Bryan Cranston (Indicado); **Melhor Performance de Elenco em Série Dramática:** Jonathan Banks, Betsy Brandt, Bryan Cranston, Anna Gunn, RJ Mitte, Dean Norris, Bob Odenkirk, Aaron Paul, Giancarlo Esposito, Ray Campbell (Indicados)

2011 Melhor Performance de Ator em Série Dramática: Bryan Cranston (Indicado)

WRITERS GUILD AWARDS

2014 Série Dramática: (Vencedora); **Episódio Dramático:** Gennifer Hutchison (Vencedora); **Episódio Dramático:** Thomas Schnauz (Indicado); **Episódio Dramático:** Peter Gould (Indicado)

2013 Série Dramática: (Vencedora); **Episódio Dramático:** Gennifer Hutchison (Indicada); **Episódio**

Dramático: George Mastras (Indicado); **Episódio Dramático:** Sam Catlin (Indicado); **Episódio Dramático:** Thomas Schnauz (Indicado)

2012 Série Dramática: (Vencedora); **Episódio Dramático:** Vince Gilligan (Vencedor); **Episódio Dramático:** Moira Walley: Beckett, Thomas Schnauz (Indicados)

2011 Série Dramática: (Indicada); **Episódio Dramático:** Gennifer Hutchison (Indicada); **Episódio Dramático:** George Mastras (Indicada)

2010 Série Dramática: (Indicada); **Episódio Dramático:** John Shiban (Indicado)

2009 Episódio Dramático: Vince Gilligan (Vencedor); **Episódio Dramático:** Patty Lin (Indicada); **Nova Série:** (Indicada)

DIRECTORS GUILD AWARDS

2014 Melhor Realização de Diretor em Série Dramática: Vince Gilligan (Vencedor)

2013 Melhor Realização de Diretor em Série Dramática: Bryan Cranston (Indicado)

2013 Melhor Realização de Diretor em Série Dramática: Rian Johnson (Vencedor)

2012 Melhor Realização de Diretor em Série Dramática: Vince Gilligan (Indicado)

PRODUCERS GUILD AWARDS

2015 Prêmio Anual Norman Felton de

Produtor do Ano em Televisão Episódica, Drama: Vince Gilligan, Mark Johnson, Michelle MacLaren, Melissa Bernstein, Sam Catlin, Peter Gould, George Mastras, Thomas Schnauz, Moira Walley: Beckett, Stewart Lyons, Diane Mercer, Bryan Cranston (Vencedores)

2014 Prêmio Anual Norman Felton de Produtor do Ano em Televisão Episódica, Drama: Vince Gilligan, Mark Johnson, Michelle MacLaren, Melissa Bernstein, Stewart Lyons, Sam Catlin, Peter Gould, George Mastras, Thomas Schnauz, Moira Walley: Beckett, Bryan Cranston, Diane Mercer (Vencedores)

2013 Prêmio Anual Norman Felton de Produtor do Ano em Televisão Episódica, Drama: Vince Gilligan, Mark Johnson, Michelle MacLaren, Melissa Bernstein, Stewart Lyons, Sam Catlin, Peter Gould, George Mastras, Thomas Schnauz, Moira Walley: Beckett, Bryan Cranston, Diane Mercer (Vencedores)

2011 Prêmio Anual Norman Felton de Produtor do Ano em Televisão Episódica, Drama: Vince Gilligan, Mark Johnson, Michelle MacLaren, Melissa Bernstein, Stewart Lyons (Indicados)

2010 Prêmio Anual Norman Felton de Produtor do Ano em Televisão Episódica, Drama: Vince Gilligan, Mark Johnson, Karen Moore, Melissa Bernstein, Stewart Lyons (Indicados)

Colaboradores e Elenco

COLABORADORES

Criador/Produtor Executivo/Escritor/Diretor | Vince Gilligan
Produtor Executivo | Mark Johnson
Produtora Executiva/Diretora | Michelle MacLaren
Produtora Coexecutiva | Melissa Bernstein
Produtor Coexecutivo/Escritor/Diretor | Sam Catlin
Produtor Coexecutivo/Escritor/Diretor | Peter Gould
Produtor Coexecutivo/Escritor/Diretor | George Mastras
Produtor Coexecutivo/Escritor/Diretor | Thomas Schnauz
Produtora Coexecutiva/Escritora | Moira Walley-Beckett
Editora Executiva da História/Escritora | Gennifer Hutchison
Diretor de Produção/UPM | Stewart A. Lyons
Produtora | Diane Mercer
Produtor/Diretor | Bryan Cranston
Produtor Associado | Andrew Ortner
Consultor de Produção (T02-3)/Escritor (T02-3)/Diretor | John Shiban
Escritora (T01-2) | J. Roberts
Escritora (T01) | Patty Lin
Editora (T01-2) | Lynne Willingham
Editor (T01-5) | Skip Macdonald
Editora (T01-5) | Kelley Dixon
Diretor de Fotografia (T02-5)/Diretor | Michael Slovis ASC
Diretor de Fotograpia ASC (Piloto) | John Toll
Diretor de Arte ASC (T03-5) | Mark Freeborn
Diretor de Arte (T01-2) | Robb Wilson King
Figurinista (T05) | Jennifer Bryan
Figurinista (T01-4) | Kathleen Detoro
Compositor | Dave Porter
Supervisor Musical | Thomas Golubić
Coordenador de Efeitos Especiais (T04-5) | Werner Hahnlein
Coordenador de Efeitos Especiais (T01-3) | Dennis Petersen
Coordenador de Dublês | Al Goto
Coordenador de Dublês (Alguns episódios) | Laurence Chavez
Aderecista | Mark Hansen
Transporte | Dennis Milliken
Gerente de Locação (T04-5) | Christian Diaz De Bedoya
Assistente dos Escritores | Gordon Smith
Assistente dos Escritores | Kate Powers
Coordenadores de Roteiro | Gennifer Hutchison, Kate Powers, Jenn Carroll

Produzido por High Bridge Productions, Inc. e Gran Via Productions em associação com a Sony Pictures Television para a AMC
Linda Schupack-EVP, Marketing, AMC
Gina Hughes-SVP, Marketing, AMC

ELENCO

Bryan Cranston ....Walter White
Anna Gunn .... Skyler White
Aaron Paul ....Jesse Pinkman
RJ Mitte .... Walter White Jr.
Dean Norris..Hank Schrader
Betsy Brandt ....Marie Schrader
Bob Odenkirk ....Saul Goodman
Jonathan Banks.. Mike Ehrmantraut
Giancarlo Esposito .... Gus Fring
Steven Michael Quezada.. Steven Gomez
Matt Jones...Badger
Charles Baker ....Skinny Pete
Raymond Cruz.. Tuco Salamanca
Mark Margolis..Tio Salamanca
Daniel & Luis Moncada .... Os Primos
Christopher Cousins.. Ted Beneke
Krysten Ritter..Jane Margolis
John de Lancie..Donald Margolis
David Costabile ....Gale Boetticher
Carmen Serano ....Carmen Molina
Adam Godley..Elliott Schwartz
Jessica Hecht ....Gretchen Schwartz
Jesse Plemons.. Todd
Laura Fraser..Lydia Rodarte-Quayle
Lavell Crawford...Huell
Michael Shamus Wiles..ASAC George Merkert
Ray Campbell...Tyrus Kitt
Emily Rios...Andrea Cantillo
Ian Posada .... Brock Cantillo
Tina Parker .... Francesca
Michael Bowen .... Tio Jack
Jeremiah Bitsui..Victor

Organizador

DAVID THOMSON é escritor e historiador de cinema, considerado um dos mais importantes críticos e autores sobre a sétima arte do nosso tempo. É autor de *The New Biographical Dictionary of Film* (1975, 6ª ed.), *Hollywood: A Celebration* (2001) e *How to Watch a Movie* (2017), entre dezenas de outros livros. Colabora com veículos como *The New Yor Times, Film Comment, Movieline* e *Salon*. Também leciona sobre cinema na Dartmouth College, em Hanover, New Hampshire e participou do comitê de seleção do New York Film Festival.

Créditos

Desenvolvimento, Design e Produção de *Breaking Bad: Livro Oficial*
Editora Executiva/Editora do Projeto, Sterling Publishing: Barbara Berger
Diretor de Arte de Interior, Sterling Publishing: Chris Thompson
Introdução, Conversa com Gilligan, e legendas: David Thomson
Diretor de Produção, Sterling Publishing: Fred Pagan
Design e Produção de Interior, Gonzalez Defino: Perri Defino e Joseph
Gonzalez, Susan Welt
Diretora de Arte da Capa, Sterling Publishing: Elizabeth Mihaltse
Design da Capa, Sterling Publishing: David Ter-Avanesyan
Diretora Editorial, Sterling Publishing: Marilyn Kretzer
Diretor Executivo de Merchandise e Promoções,
Sony Pictures Television: Christopher Lucero
Agradecimentos Especiais: Gordon Smith, Melissa Bernstein, e Jenn Carroll

Desenvolvimento do Livro Multi-Touch e Design do E-book
Interativo *Breaking Bad Alchemy*
Produtor executivo, Trailer Park: Scott Tobin
Diretora de Criação/Arte e Escrita Criativa, Trailer Park: Kelly Gabrysch
Designer Principal e Escrita Criativa, Trailer Park: John Rinkenberg
Designer, Trailer Park: Jethro Leynes
Programador Técnico Principal, Trailer Park: Shari Basch
Escrita Criativa para Walt Whitman Parallels, Trailer Park: Keith Mathewson
Diretora de Marketing, Sony Pictures Television: Theresa Nunn
SVP de Marketing, Sony Pictures Television: Chris van Amburg
VP de Assuntos Jurídicos, Sony Pictures Television: Suzanne Prete
SVP WW de Marketing, Sony Pictures Home Entertainment: Tracey Garvin

Diretora Executivo WW Desenvolvimento de Conteúdo, Sony Pictures Home
Entertainment: Heather Serrano - Gerente de Desenvolvimento de Conteúdo
WW, Sony Pictures Home Entertainment: Karri Lucas

Créditos de Imagens - Projeto de Arte de *Breaking Bad*, **cortesia da**
Sony Pictures Television: Phantom City Creative: p. 143; Mark Englert: 143;
Ken Taylor: 144 (esq.); Rhys Cooper: 144 (dir.); Dave Perillo: 145 (acima,
esq.); Justin Santora: 145 (acima, dir.); Chris DeLorenzo: 145 (abaixo, dir.);
Jermaine Rogers: 145 (abaixo, esq.); Kevin Tong: 146 (esq.); Todd Slater: 146
(acima, dir.); Tom Whalen: 146 (abaixo, dir.); Jeff Boyes: 147 (acima, esq.);
Rich Kelly: 147 (acima, dir.); Anthony Petrie: 147 (abaixo, dir.)

Todas as outras imagens © Sony Pictures Television, exceto:
Cortesia Vince Gilligan: Jenn Carroll: 30; ("Felina", lista de filmagens
do dia 6 e planos do diretor no interior do salão de jogos): 74-75;
Interior da dasa dos White, Plano diretor, episódio 5x11: 196
Cortesia Julio Moreno: 188; **Cortesia Ashley West Leonard:** 189
Alamy: © Ronald Grant Archive/Alamy: 86
Corbis: © Universal Pictures/Sunset Boulevard/Corbis: 85
Getty Images: © David Livingston/Getty Images: 222;
© Christopher Patey/Contour by Getty Images: 26
IStockphoto: © amygdala_imagery: 100-101, 102-103 (fundo, ambos)
Shutterstock: © Irantzu Arbaizagoitia: 1, 6-7 (fumaça fundo); © Fablok: 38,
210-11 (fundo central superior); © molekuul.be: 11, 15, 23, 34, 44, 54, 76,
82, 104, 117, 118, 142, 148, 156, 168, 190, 208 (cadeia química, todos);
© phloxii: 90-1 (fundo molecular); © Wang Song: 116-17 (lousa)

Agradecimentos

Bem-vindo a *Breaking Bad: O Livro Oficial*. Este projeto começou como um livro digital, que agora transformamos em uma publicação à moda antiga, em papel e tinta, com a ajuda de Barbara Berger e o pessoal da Sterling Publishing. Obrigado a todos que tornaram isso possível, especialmente:

— Trailer Park, por seu design digital e desenvolvimento.

— Lindsay Cooper e sua equipe na Julian Wolf.

— Nosso estúdio e rede parceiros, Sony e AMC.

— Chris Van Amburg e sua equipe na Sony Pictures Television (Jennifer Morgan, Theresa Nunn e Chris Lucero, entre outros). A ideia deste livro começou com eles, e sou grato por eles terem trabalhado duro para torná-lo possível.

— David Thomson, cuja valiosa obra *A Biographical Dictionary of Film* tem estado na mesa de centro em frente à minha televisão pelos últimos vinte anos, com a lombada quebrada devido a muito amor. Eu fico muito honrado por esse brilhante historiador ter colocado seu tempo e talento à nossa disposição.

— O maravilhoso elenco e a equipe de *Breaking Bad*. Durante cinco temporadas, nós construímos juntos o perigoso mundo de Walter White em Albuquerque. Embora nossa série tenha acabado, nós sempre seremos uma família. E, por fim, em primeiro lugar e para sempre...

— Nossos fãs. Não haveria *Breaking Bad* sem vocês.

— VINCE GILLIGAN